Cynnwys

Arweinlyfr safon UG/U

Datblygu Sgiliau'r Hanesydd Safon Uwch

R. Paul Evans

Cyhoeddwyd dan nawdd

Cynllun Adnoddau Addysgu a Dysgu CBAC.

Arweinlyfr Safon UG/U
Datblygu Sgiliau'r Hanesydd Safon Uwch

Cyhoeddwyd gan CAA, Prifysgol Aberystwyth, Yr Hen Goleg, Stryd y Brenin, Aberystwyth, SY23 2AX (http://www.caa.aber.ac.uk).
Noddwyd gan Lywodraeth Cynulliad Cymru.
Cyhoeddwyd dan nawdd Cynllun Adnoddau Addysgu a Dysgu CBAC.

ISBN: 978 1 84521 314 5

Golygydd: Eirian Jones
Paratoi ar gyfer y wasg: Lynwen Rees Jones
Dylunydd: Arwel Thomas/Argraff
Darluniau: Chris Saunderson
Argraffwyr: Argraffwyr Cambria, Aberystwyth

Cydnabyddiaethau

Dymuna CAA ddiolch i'r canlynol am ganiatâd i atgynhyrchu deunyddiau yn y cyhoeddiad:

Amgueddfa Genedlaethol Cymru – t.70 top, canol; Archifdy Sir y Fflint – t.52 top; Cadw, Llywodraeth Cynulliad Cymru (Hawlfraint y Goron) – t. 70 gwaelod, 88 top; Darlow Smithson – t. 45; David King Collection – t.56 canol, gwaelod; David Low/Solo Syndication/Associated Newspapers Ltd – t.48; English Heritage Photo Library – t.81; Getty Images – t.47; Gomer – t.52 gwaelod; Gwasg Gee (dyfyniad o *Gwae Awdur Dyddiaduron* gan R. Williams Parry) – t.5; Gwasg Prifysgol Cymru – t.18; Harper Collins (dyfyniad o *William Pitt the Younger* gan William Hague (addasiad)) – t.42; Indus Films – t.88 gwaelod; Trwy garedigrwydd Ken Marschall.com – t.44 gwaelod; Llyfrgell Genedlaethol Cymru – t.58, 84; Macmillan (dyfyniad o *What is History?* gan E. H. Carr (addasiad)) – t.75; New York Public Library – t.44 top; Pearson Education – t.41 de; Penguin Group (UK) – t.41 chwith; Punch Ltd. – t.49; TopFoto – t.5, 6, 44 canol, 46, 50, 72, 77, 80, 82, 83, 87.

Gwnaethpwyd pob ymdrech i olrhain a chydnabod deiliaid hawlfraint. Bydd y cyhoeddwr yn falch o wneud trefniadau addas gydag unrhyw ddeiliaid na lwyddwyd i gysylltu â hwy.

Diolch i Siwan Evans, Richard Drew, Aled James a Meinir Jones am eu harweiniad gwerthfawr.

Diolch hefyd i'r ysgolion canlynol am gymryd rhan yn y broses dreialu:
Ysgol Bro Myrddin, Caerfyrddin
Ysgol Dyffryn Ogwen, Bethesda
Mold Alun School, Yr Wyddgrug
Fairwater High School, Cwmbrân

Mae fersiwn Saesneg o'r cyhoeddiad hwn ar gael hefyd.

PENNOD UN

ASTUDIO HANES UG AC U:

Cyflwyniad

Beth yw hanes?

Mae Geiriadur Prifysgol Cymru yn diffinio **Hanes** fel 'astudiaeth neu gronicl ysgrifenedig ... o dwf cyfres o ddigwyddiadau mewn trefn amseryddol'. Mae'n gofnod ysgrifenedig sy'n manylu ar ddigwyddiadau yn eu trefn amser a gall gyfeirio at wlad, pobl neu unigolyn penodol. Diffinnir y person sy'n cofnodi'r cofnod fel yr **Hanesydd**. Fodd bynnag, fel gyda phob diffiniad, mae pobl wedi dehongli ei ystyr mewn gwahanol ffyrdd, fel y mae'r dyfyniadau canlynol yn dangos.

I'w drafod:
Astudiwch y dyfyniadau a restrir isod. Pa un o'r rhain, yn eich barn chi, sy'n disgrifio astudio hanes orau? Esboniwch eich rhesymau.

Astudio hanes: gwahanol ddehongliadau:

'Hanes – cnewllyn caled o ddehongliad wedi'i amgylchynu â swp o ffeithiau dadleuol.'
E.H. Carr, hanesydd yn ysgrifennu yng nghanol yr ugeinfed ganrif.

'Beth waeth gan Hanes am na sant na satyr?
Hi draetha'r gwir, a'r gwir i gyd. I gyd?
Nês na'r hanesydd at y gwir di-goll
Ydyw'r dramodydd, sydd yn gelwydd oll.'

Llinellau olaf soned, *Gwae Awdur Dyddiaduron* a gyfansoddwyd gan R.Williams Parry yn 1939.

'Hanes yw'r celwydd y cytuna pawb arno.'
Voltaire, athronydd ac awdur Ffrengig o'r ddeunawfed ganrif.

'Gall yr hanesydd ddysgu llawer gan y nofelydd.'
Samuel Eliot Morison, hanesydd Americanaidd o'r ugeinfed ganrif.

'Hanes y rhyfel dosbarth yw hanes pob cymdeithas a fu erioed.'

Karl Marx, athronydd cymdeithasol a chwyldroadwr Almaenig a sefydlodd Sosialaeth a Chomiwnyddiaeth fodern. Awdur y *Maniffesto Comiwnyddol* (1848).

'Mae hanes a myth yn ddwy agwedd ar ryw fath o batrwm mawreddog ffawd yr hil ddynol: swp o ffeithiau a arsylwyd neu a gofnodwyd yw hanes, ond myth yw ei haniaeth neu ei hanfod'.

Robertson Davies, nofelydd a dramodydd o Ganada yn yr ugeinfed ganrif.

'Yr hyn y mae dynion wedi'i wneud a'i ddweud; yn fwy na dim, yr hyn y maent wedi'i feddwl – dyna yw hanes.'
S.R. Maitland, hanesydd enwog o'r bedwaredd ganrif ar bymtheg.

'Hanes, crynodeb o si.'
Thomas Carlyle, traethodydd a hanesydd Albanaidd o'r bedwaredd ganrif ar bymtheg.

'Mae'r gorffennol yn hydrin ac yn hyblyg, yn newid wrth i'n hatgofion ddehongli ac ail-esbonio beth sydd wedi digwydd.'

Peter Berger, Athro Cymdeithaseg a Diwinyddiaeth ym Mhrifysgol Boston yn niwedd yr ugeinfed ganrif.

'Sothach, fwy neu lai, yw hanes.'

Henry Ford, gwneuthurwr ceir a greodd Cwmni Moduron Ford yn 1903.

Mae'r holl ddyfyniadau hyn yn dangos bod hanes yn agored i lawer iawn o ddehongli a dyma un o brif nodweddion astudio hanes ar lefel UG ac U. Mae modd derbyn rhai ffeithiau fel rhai pendant – er enghraifft bod Harri Tudur wedi dod yn frenin yn dilyn ei fuddugoliaeth yn erbyn Richard III ym Mrwydr Bosworth yn 1485 – ond bydd trafodaeth yn parhau ynghylch y modd y bydd digwyddiadau'r diwrnod hwnnw yn cael eu dehongli. Er enghraifft, pam y penderfynodd y brodyr Stanley newid ochr ar y funud olaf ac ochri â Harri Tudur yn erbyn y Brenin Iorcaidd? Bydd haneswyr bob amser yn dadlau ynghylch pam y digwyddodd digwyddiad penodol ar adeg benodol; pam y digwyddodd fel y gwnaeth a beth oedd canlyniadau'r digwyddiad hwnnw. Byddant yn trafod a yw'r safbwynt traddodiadol am achosion a chanlyniadau'r digwyddiad hwnnw yn dal dŵr; a roddwyd yr achosion yn y drefn gywir ac a yw awdur y fersiwn hwn o'r digwyddiadau yn gywir yn ei ddehongliad? A yw'r hanesydd yn mynegi gogwydd arbennig yn ei ddehongliad?

Y cwestiynau hyn a llawer o rai eraill fydd yn sail i chi wrth i chi astudio hanes Safon UG/U. Mae'n gwrs a fydd yn eich arwain i drafod yn eang y dystiolaeth yr ydych yn ei hastudio, cywirdeb y dehongliadau a'r cynrychioliadau a gyflwynir i chi a dibynadwyedd a chymhelliad yr awduron a luniodd y darnau tystiolaeth hynny.

I'w drafod:

(a) Beth yn eich tyb chi a olygai Karl Marx pan ddywedodd mai hanes y rhyfel dosbarth yw hanes pob cymdeithas ddynol?

(b) Astudiwch y dyfyniadau gan E.H. Carr, Voltaire a Peter Berger. Allwch chi ganfod unrhyw bethau tebyg yn eu safbwyntiau o'r hyn yw hanes?

(c) Beth yn eich tyb chi a olygai Samuel Eliot Morison pan ddywedodd y gallai'r hanesydd ddysgu llawer gan y nofelydd?

(d) A fyddech chi'n cytuno neu'n anghytuno â safbwynt Henry Ford mai 'sothach, fwy neu lai, yw hanes'?

Beth yw'r gwahaniaethau rhwng hanes TGAU a Safon UG/U?

- **Astudio'r gorffennol yn llawer dyfnach** – bydd canran uwch o'ch amserlen wedi'i neilltuo i astudio hanes; bydd hyn yn rhoi mwy o gyfle i ddadansoddi a gwerthuso digwyddiadau mewn dyfnder, ynghyd â'u hachosion a'u canlyniadau;

- **Gweithio'n annibynnol** – bydd disgwyl i chi gynnal mwy o ymchwil ac archwilio ar eich liwt eich hun, a bydd llawer o bwyslais ar ddysgu annibynnol;

- **Arddangos sgiliau'r hanesydd ar lefel fwy soffistigedig** – bydd gofyn i chi arddangos mwy o ddyfnder o wybodaeth a dealltwriaeth ffeithiol, arddangos uwch sgiliau dadansoddi a gwerthuso ffynonellau, gosod digwyddiadau yn eu cyd-destun hanesyddol ac ymdrin â dehongliadau hanesyddol;

- **Angen osgoi naratif** – bydd disgwyl i chi ddatblygu sgiliau ysgrifennu dadansoddol a gwerthusol da; mae'n bosibl y bydd ateb sy'n cynnwys cryn dipyn o naratif wedi ennill marciau uchel ar safon TGAU, ond ni wna hynny'r tro ar gyfer safon UG/U;

- **Dethol a threfnu deunydd** – i ateb cwestiynau safon UG/U, bydd rhaid i chi arddangos y gallu i ddethol, trefnu a blaenoriaethu gwybodaeth i sicrhau ei bod yn ateb cwestiwn penodol;

- **Mae ysgrifennu estynedig yn bwysicach** – bydd disgwyl i chi ysgrifennu traethodau, yn rhai strwythuredig a phenagored, sy'n arddangos dadl strwythuredig a gefnogwyd yn dda mewn ymateb i gwestiwn penodol;

- **Mwy o bwyslais ar sgiliau gwerthuso ffynonellau** – bydd rhaid i chi arddangos eich gallu i ddadansoddi, gwerthuso a dod i farn bendant ynghylch gwerth ffynonellau hanesyddol;

- **Meistroli geirfa hanesyddol arbennig** – bydd rhaid i chi ddangos dealltwriaeth o dermau hanesyddol allweddol sy'n berthnasol i'r cyfnod yr ydych yn ei astudio, fel 'totalitaraidd', 'radical', 'cenedlaetholgar', '*y bourgeoisie*' a 'proletariat';

- **Meistroli'r derminoleg fwy penodol a ddefnyddir wrth osod cwestiynau** – deall ystyr geiriau gorchmynnol allweddol yn y cwestiwn fel 'trafodwch', 'i ba raddau', 'pa mor bwysig oedd' neu 'pa mor llwyddiannus oedd?'

Heb os, mae gofynion astudio hanes safon UG ac U yn fwy nag yr oeddynt ar safon TGAU, ond dylid cofio bod y cynnydd hwn mewn anhawster yn adlewyrchu'r aeddfedrwydd academaidd y byddwch yn ei arddangos yn ystod eich astudiaethau yn y chweched dosbarth neu'r coleg.

Pa sgiliau penodol y mae arholwyr yn chwilio amdanynt ar safon UG/U?

Byrddau Arholi / Cyrff Dyfarnu

Ar ddiwedd eich cwrs hanes dwy flynedd, bydd un o'r Byrddau Arholi canlynol yn dyfarnu eich tystysgrif Safon U:

AQA CBAC CCEA Edexcel OCR

Pa bynnag Fwrdd Arholi sy'n gosod y cwestiynau i'r cwrs safon UG/U yr ydych yn ei astudio, byddant yn dilyn set o feini prawf asesu a elwir yn Amcanion Asesu. Mae yna ddau Amcan Asesu, sef AA1 ac AA2, y naill a'r llall wedi'i is-rannu'n rhan (a) a rhan (b). Fe'u cynlluniwyd i brofi sgiliau penodol fel y nodir yn y siart ganlynol:

Amcanion Asesu yn Hanes

AA1a dwyn i gof, dethol a chyflwyno'n gywir wybodaeth hanesyddol, a mynegi gwybodaeth a dealltwriaeth o hanes mewn dull eglur ac effeithiol;

AA1b arddangos dealltwriaeth o'r gorffennol trwy ei egluro a'i ddadansoddi a dod i gasgliadau cadarnhaol ynglŷn â:

- chysyniadau allweddol megis achosiaeth, canlyniad, parhad, newid ac arwyddocâd mewn cyd-destun hanesyddol;
- cysylltiadau rhwng nodweddion allweddol y cyfnodau a astudiwyd;

AA2a fel rhan o ymchwiliad hanesyddol, dadansoddi a gwerthuso ystod o ffynonellau addas â dirnadaeth;

AA2b mewn perthynas â'r cyd-destun hanesyddol, dadansoddi a gwerthuso sut y cafodd agweddau o'r gorffennol eu dehongli a'u portreadu mewn ffyrdd gwahanol.

Mae'n bwysig eich bod yn deall beth yw'r sgiliau hanfodol hyn a beth maen nhw'n ei olygu. Bydd y tair pennod nesaf yn canolbwyntio ar bob un o'r Amcanion Asesu hyn yn fanwl, gan roi cyfle i chi ddatblygu, ymarfer ac atgyfnerthu'r sgiliau angenrheidiol i ennill gradd dda yn hanes Safon UG ac U.

Datblygu dealltwriaeth o'r cysyniadau allweddol a gaiff eu harchwilio yn hanes

Mae cysyniadau allweddol hanes yn sail i'r holl Amcanion Asesu. Dyma'r cerrig sylfaen y seiliwyd y cyrsiau y byddwch yn eu hastudio arnynt, ac felly mae'n bwysig eich bod yn deall ac yn arddangos dealltwriaeth ac ymwybyddiaeth eglur o'r cysyniadau allweddol hyn.

(a) Achos a chanlyniad

Er y caiff achos a chanlyniad eu cysylltu â'i gilydd yn aml, mae'n bwysig cofio mai'r hyn sy'n gorwedd rhyngddynt yw'r effaith. Mae achos digwyddiad yn cynhyrchu effaith (y digwyddiad ei hun) ac mae hyn yn ei dro yn arwain at ganlyniad.

(i) Achos

Achos yw rheswm pam y digwyddodd rhywbeth. Yn y mwyafrif o enghreifftiau, mae mwy nag un achos a gellir rhannu'r rhain yn achosion tymor hir a thymor byr. Byddai disgwyl i chi adnabod y gwahaniaethau hyn ac mae'n fwy na thebyg y byddai gofyn i chi flaenoriaethu'r achosion, gan benderfynu pa rai yw'r rhai pwysicaf, a pham.

E.e. Dechreuodd agweddau tuag at fenywod ym Mhrydain newid ar ddiwedd oes Fictoria a thrwy'r cyfnod Edwardaidd, ac o ganlyniad rhoddwyd yr hawl i fenywod bleidleisio yn 1918. Mae'n bosibl y byddai gofyn i chi adnabod achosion y newid hwn mewn agwedd a barnu i ba raddau mai'r Rhyfel Byd Cyntaf, er enghraifft, oedd yr achos pwysicaf a sicrhaodd y newid gwleidyddol hwn.

(ii) Canlyniad

Canlyniad yw'r hyn a ddigwyddodd oherwydd gweithred neu ddigwyddiad. Fel gydag achosion, gellir rhannu'r canlyniadau yn ganlyniadau sy'n digwydd ar unwaith a chanlyniadau tymor hir. Mae'n fwy na thebyg y byddai disgwyl i chi adnabod canlyniadau digwyddiad arbennig, a'u graddio mewn rhyw fath o drefn, penderfynu a oeddynt yn ganlyniadau a ddigwyddodd ar unwaith ynteu'n rhai tymor hir, ac o bosibl dweud pam y gellid dweud bod un yn fwy pwysig mewn perthynas â'r lleill. Mae'n gofyn i chi ddatblygu dadl resymegol i gefnogi eich dyfarniad.

E.e. Un canlyniad i'r modd y daeth yr Ail Ryfel Byd i ben yn 1945 a safle pwerau'r Cynghreiriaid ar yr union adeg honno, oedd rhannu Ewrop yn Ddwyrain ac yn Orllewin. Esgorodd ansicrwydd a drwgdybiaeth ymhlith arweinwyr y Cynghreiriaid ar raniad gwleidyddol pendant gyda Chomiwnyddiaeth ar y naill ochr a Chyfalafiaeth ar yr ochr arall, a arweiniodd yn ei dro at raniad milwrol llym, sef NATO yn erbyn Cytundeb Warsaw. Canlyniad yr holl wahaniaethau hyn oedd man cychwyn y Rhyfel Oer.

Eich tasg

Dewiswch ddigwyddiad yr ydych wedi'i astudio yn ddiweddar. Rhannwch y digwyddiad yn dair rhan – achosion, y digwyddiad ei hunan a'i ganlyniadau. O fewn y rhannau achosion a chanlyniadau, is-rannwch y prif faterion yn ôl eu pwysigrwydd neu arwyddocâd, gan roi rheswm am eich trefn restrol.

(b) Parhad a newid

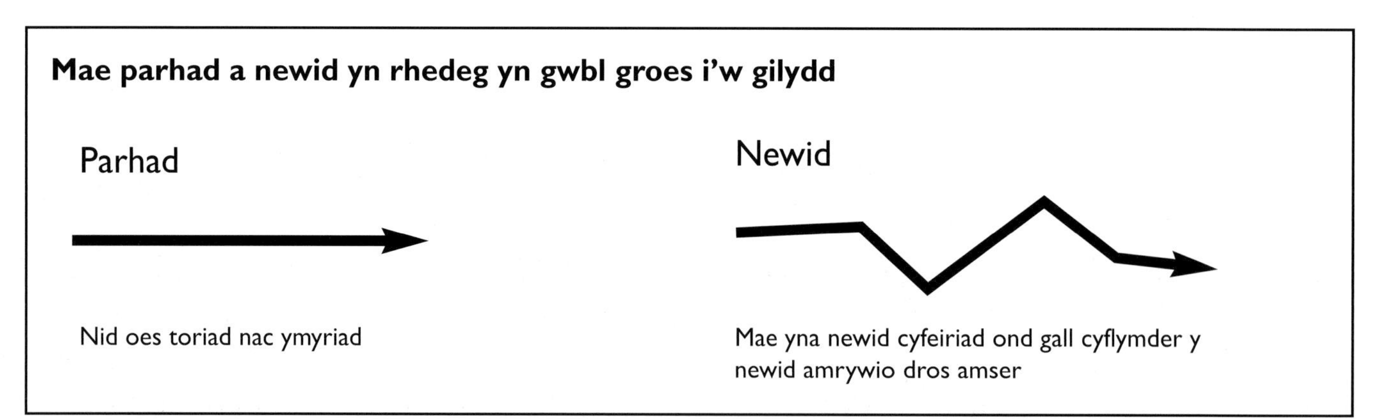

(i) Parhad

Dywedir bod parhad ar waith pan fydd pethau'n aros yr un fath; nid oes toriad nac ymyriad. Yn wahanol i newid, mae'n aml yn anoddach adnabod parhad ac egluro pam nad yw pethau wedi newid. Bydd mesur parhad yn cael ei bennu gan hyd y cyfnod y gofynnir i chi ei ystyried. Gall fod yn gyfnod byr fel degawd neu rai blynyddoedd yn unig, neu gallai fod yn gyfnod hwy fel canrif neu sawl canrif.

E.e. Astudio cosb dros sawl canrif. Parhaodd y Brawdlysoedd i weithredu heb unrhyw newidiadau sylweddol o'u cyfnod cychwynnol yn ystod teyrnasiad Harri II yn yr 1150au nes iddynt gael eu diwygio o'r diwedd yn 1971 pan sefydlwyd Llysoedd y Goron. Roeddynt felly wedi parhau dros 800 mlynedd yn nhermau eu hunaniaeth a'u swyddogaeth.

(ii) Newid

Bydd newid pan fydd rhywbeth yn digwydd i wneud pethau'n wahanol. Gall y newid fod yn sydyn iawn a digwydd dros gyfnod cymharol fyr, neu fe all fod yn fwy graddol, gan ddigwydd dros gyfnod hwy. Gall natur y newid amrywio hefyd; gall y newid fod yn ddramatig iawn, a'r canlyniad yn hollol wahanol i'r hyn a ddigwyddodd cyn hynny, neu fe all fod yn raddol a phytiog ei natur. Yn aml iawn, nid yw newidiadau yn digwydd ar gyflymder cyson, ond byddant yn hytrach yn osgiliadu rhwng cyflym ac araf fel troed ar y sbardun. Mae'r cerbyd yn symud yn ei flaen, ond bydd y cyflymder yn amrywio yn ôl yr amgylchiadau a geir ar y ffordd.

E.e. Astudiaeth o'r berthynas newidiol rhwng Cymru a Lloegr yn ystod yr Oesoedd Canol. Roedd y berthynas yn dibynnu'n fawr ar amgylchiadau'r cyfnod. Gallai brenin Seisnig cryf fel Harri II neu Edward I gadw'r tywysogion Cymraeg dan reolaeth a rhwystro eu hysfa am ledu grym. Fodd bynnag, yn ystod cyfnodau pan oedd grym y goron Seisnig yn llai cryf, fel yr oedd yn nheyrnasiad Harri III, neu gyfnodau pan yr atgyfnerthwyd grym y Cymry dan dywysog cryf fel Llywelyn Fawr neu Owain Glyndwr, roedd grym y Saeson yn llai o lawer, a chydbwysedd y berthynas rhwng Cymru a Lloegr yn newid.

Mae'n bosibl y bydd gofyn i chi adnabod parhad a newid dros gyfnod o amser.

E.e. Astudiaeth o Pedr Fawr a'i bolisi Gorllewiniad yn Rwsia rhwng 1696 ac 1725. Mae cwestiynau yn ymwneud â theyrnasiad Pedr Fawr fel rheol yn gofyn i chi adnabod y newidiadau a ddigwyddodd yn ystod ei deyrnasiad a ddaeth yn sgil Gorllewineiddio. Yna, gofynnir i chi asesu i ba raddau yr oedd y rhain yn newidiadau hollol newydd ac felly'n cynrychioli newid cyfeiriad radical o draddodiadau'r gorffennol, neu a oeddynt yn barhad o'r polisïau a ddechreuwyd gan ei union ragflaenwyr.

Eich tasg

(a) Meddyliwch yn ôl i'ch cwrs Hanes TGAU a dewiswch fater a oedd yn arddangos cyfnod o barhad, gan awgrymu'r rhesymau dros y parhad hwn.

(b) Gwnewch yr un broses eto, ond y tro hwn dewiswch gyfnod o newid, gan egluro pam y digwyddodd y newid hwn.

(c) Y berthynas rhwng nodweddion allweddol cyfnod

Ar Safon UG ac U, bydd disgwyl i chi arddangos dealltwriaeth o brif nodweddion y cyfnod yr ydych yn ei astudio, a'r berthynas sydd rhyngddynt. A yw'r nodweddion hyn yn rhannu agweddau cyffredin neu a ydynt yn hollol wahanol, ac os felly, pam? Y sgìl sy'n cael ei brofi yw eich gallu i adnabod ac egluro nodweddion tebyg a gwahanol yn y cyfnod dan sylw.

E.e. Tystiodd y bedwaredd ganrif ar bymtheg i don o chwyldroadau yn gysylltiedig â thwf cenedlaetholdeb ar draws Ewrop, yn enwedig yn y flwyddyn 1848. Yn y taleithiau Eidalaidd ac Almaenaidd, methodd chwyldroadau 1848 â llacio'r gefynnau a'u clymai wrth dra-arglwyddiaeth Ymerodraeth Awstria-Hwngari. Eto i gyd, llwyddodd y rhanbarthau hyn yn yr 1860au a'r 1870au i sicrhau annibyniaeth a chreu eu gwladwriaethau eu hunain. Mae'n bosibl y byddai gofyn i chi ystyried pam y methodd yr ymdrechion i sicrhau uniad yn 1848, ond iddynt lwyddo genhedlaeth yn ddiweddarach, ac a oedd y broses o sicrhau uniad yr un fath yn yr Almaen ag yr oedd yn yr Eidal.

(i) Tebygrwydd: Bydd hyn yn gofyn i chi adnabod materion sydd yr un fath â'i gilydd, sy'n rhannu nodweddion a phriodoleddau tebyg.

(ii) Gwahaniaeth: Bydd hyn yn gofyn i chi adnabod elfennau sy'n wahanol i'w gilydd, boed hwy'n hollol wahanol i'w gilydd neu'n arddangos ychydig llai o wahaniaeth.

E.e. Mae'n bosibl y bydd gofyn i chi ystyried sut y deliodd Hitler a Roosevelt â phroblemau economaidd yr 1930au. Daeth y ddau i rym pan oedd eu gwledydd yn dioddef holl bwysau'r Dirwasgiad Mawr a'u tasg gyntaf oedd mynd i'r afael ag effeithiau'r dirwasgiad economaidd. Bu'r ddau yn gyfrifol am fuddsoddi symiau mawr o arian cyhoeddus yn yr economi i greu cyfleoedd gwaith trwy adeiladu ffyrdd, adeiladau cyhoeddus megis ysgolion ac ysbytai, a chynlluniau adfer tir fel plannu miliynau o goed. Aeth Hitler â hyn gam ymhellach a chyflwynodd gonsgripsiwn i'r lluoedd arfog. Cyflwynodd y ddau ddyn fesurau i reoli busnesau mawr a bu'n rhaid iddynt hefyd ymdrin â phroblem yr undebau llafur. Fodd bynnag, roedd rhai o'u polisïau eraill yn wahanol iawn. Penderfynodd America ddilyn polisi o ymneilltuedd a gwrthododd wario symiau enfawr ar y lluoedd arfog, tra gwariodd yr Almaen yn drwm ar ailarfogi a dechrau dilyn polisi tramor ymledol o ganol yr 1930au ymlaen.

(ch) Arwyddocâd cyd-destun hanesyddol

Mae arddangos dealltwriaeth o gyd-destun hanesyddol yn sgìl bwysig yn Safon UG ac U. Yn yr ystyr hwn, mae cyd-destun yn cyfeirio at y cefndir cyffredinol, sef cysylltu'r digwyddiad dan sylw â'r darlun ehangach, gan archwilio beth sy'n digwydd o'i gwmpas. Asesir y sgìl fel rheol mewn perthynas â dadansoddi a gwerthuso ffynhonnell hanesyddol benodol. Bydd yn gofyn i chi gysylltu'r ffynhonnell â'r hyn a ddigwyddodd cyn ac ar ôl y digwyddiad, ac yna asesu i ba raddau y mae'r ffynhonnell yn darparu darlun llawn neu rannol o'r digwyddiad.

E.g. Mae'n bosibl y bydd y ffynhonnell yn cyfeirio at achos penodol digwyddiad ac y bydd gofyn i chi asesu ei defnyddioldeb i'r hanesydd wrth geisio deall y rhesymau pam y digwyddodd y digwyddiad hwn. Mae'n bosibl mai un achos yn unig y bydd y ffynhonnell yn ei ddarparu, a bydd disgwyl i chi ei gysylltu â'r darlun ehangach ac adnabod unrhyw achosion eraill sydd ar goll. Er mwyn darparu'r cyd-destun hwn, bydd yn rhaid i chi arddangos lefel soffistigedig o wybodaeth a dealltwriaeth o'r cyfnod.

I'w drafod:
Wrth astudio llwyddiannau unigolyn enwog fel Nelson Mandela neu Martin Luther King, allwch chi roi gwerthusiad cywir o'u llwyddiannau heb gysylltu eich ymchwiliad ag astudiaeth o'r hyn oedd yn digwydd o'u cwmpas ar y pryd?

Eich tasg

(a) Copïwch a chwblhewch y diagram canlynol i arddangos ac egluro'r cysyniadau allweddol a gaiff eu harchwilio yn hanes Safon UG/U.

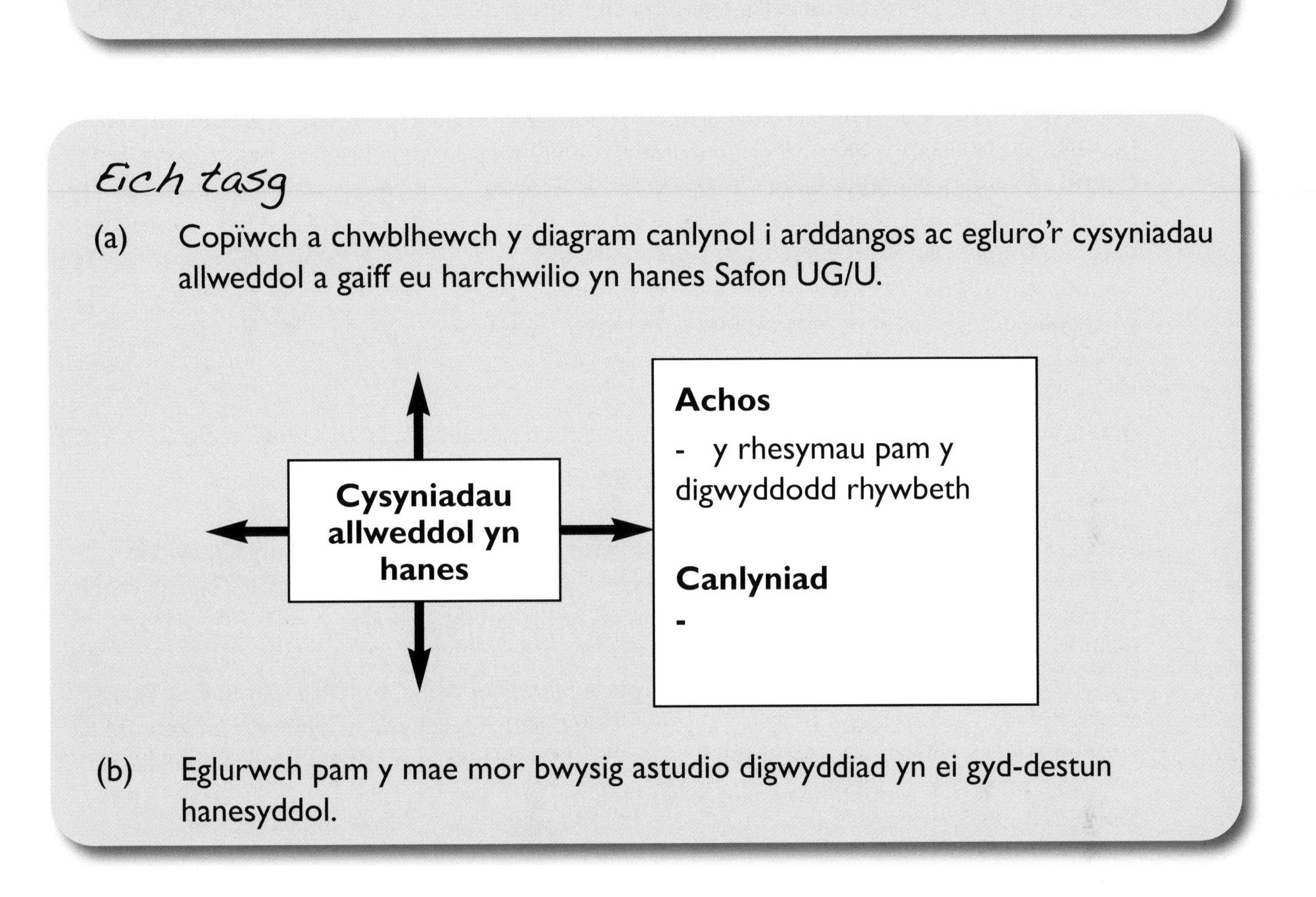

(b) Eglurwch pam y mae mor bwysig astudio digwyddiad yn ei gyd-destun hanesyddol.

Addasu i ofynion astudiaethau Safon UG ac U

Fel y nodwyd eisoes, mae yna wahaniaeth sylfaenol yn y modd y mae hanes yn cael ei astudio yn TGAU o'i gymharu â Safon UG ac U. Un o'r gwahaniaethau mawr rhwng eich amserlen TGAU a'ch amserlen UG newydd yw ei bod nawr yn cynnwys 'cyfnodau astudio'. Ni fyddwch yn cael eich dysgu'n ffurfiol yn y cyfnodau hyn, ond disgwylir i chi wneud ychydig o astudio preifat. Fel hanesydd, dyma'r cyfnodau pan fyddwch chi'n ymchwilio ac yn ymholi'n annibynnol. Un o elfennau allweddol hyn fydd gwaith darllen ychwanegol er mwyn ehangu eich gwybodaeth ac felly gwella eich gallu i ddarparu cyd-destun hanesyddol.

Bydd angen i chi lunio eich nodiadau eich hun yn dilyn darllen pellach. Bydd nodiadau o'r fath yn cael eu codi o lyfrau, erthyglau mewn cyfnodolion academaidd, neu'n gynyddol o wybodaeth a lawrlwythwyd o'r Rhyngrwyd. Bydd Pennod Dau yn canolbwyntio ar sut y byddwch chi'n defnyddio'r deunydd hwn i ysgrifennu traethodau, tra bydd Pennod Tri yn ystyried defnyddioldeb a dibynadwyedd y wybodaeth gan ddibynnu ar ei tharddiad. Bydd yr adran ganlynol yn rhoi canllawiau i chi ynghylch llunio nodiadau cychwynnol.

1. Ymchwil cychwynnol

(a) Gweithio o'r cyffredinol i'r penodol

Eich tasg gyntaf yw cael gafael ar lyfrau addas neu wefannau lle y gallwch ddod o hyd i nodiadau priodol i'ch helpu i ddeall y testun yr ydych yn ei ymchwilio. Wrth ddod o hyd i wybodaeth o'r fath, mae'n well dechrau bob amser â llyfrau hanes cyffredinol, a fydd yn rhoi trosolwg da o'r cyfnod. Bydd llyfrau hanes cyffredinol yn nodi prif nodweddion cyfnod ac yn darparu crynodeb defnyddiol ohonynt. Bydd hyn yn eich galluogi i ddechrau â dealltwriaeth dda o'r darlun ehangach. Unwaith y byddwch wedi meistroli'r wybodaeth sylfaenol, gallwch wedyn symud ymlaen i ymchwilio'n ddyfnach trwy ddarllen testunau mwy arbenigol.

Enghraifft o ddatblygiad yn eich ymchwil a'ch darllen

Gosodwyd traethawd yn gofyn i chi ymchwilio achosion y Chwyldro Diwydiannol yng Ngogledd Cymru yn y ddeunawfed ganrif. Gallech rannu eich darllen a'r gwaith llunio nodiadau fel a ganlyn:

Astudiaeth gyffredinol: *A History of Wales 1660-1815*, gan E.D. Evans (Gwasg Prifysgol Cymru, 1976). Mae'r llyfr hwn yn cynnwys un bennod ar ddatblygiadau diwydiannol, sydd yn darparu trosolwg o'r prif newidiadau ymhob diwydiant allweddol.

↓

Astudiaeth fwy arbenigol: *The Industrial Revolution in North Wales*, gan A.H. Dodd (Gwasg Prifysgol Cymru, 1933). Bydd y llyfr hwn yn cynnwys penodau penodol sy'n ymdrin â phob diwydiant allweddol, fel llechi, copr, haearn, glo a chotwm.

↓

Astudiaeth benodol: *The Copper King: A biography of Thomas Williams of Llanidan*, gan J.R. Harris (Gwasg Prifysgol Lerpwl, 1964). Dyma astudiaeth benodol o ddatblygiad y diwydiant copr yng Nghymru, sy'n canolbwyntio ar fwyngloddio yn Sir Fôn ac ar ddatblygiadau yn y prosesau mwyndoddi yn Nhreffynnon ac Abertawe, oedd dan oruchwyliaeth Thomas Williams, miliwnydd diwydiannol cyntaf Cymru.

Bydd eich astudiaeth yn ddyfnach ac yn fwy manwl ar bob cam.

Awgrym

Bydd gan bob pennod ei llyfryddiaeth ei hun a fydd yn eich arwain at ffynonellau gwybodaeth manylach.

Eich tasg

Y tro nesaf y byddwch yn ysgrifennu traethawd, cwblhewch y siart isod i gofnodi eich ymchwil a'ch gwaith paratoi. Ceisiwch ailadrodd y broses hon ar gyfer pob traethawd yn y dyfodol.

Llyfrau / gwefannau hanes cyffredinol
Llyfrau / gwefannau mwy arbenigol
Llyfrau gan haneswyr sy'n awdurdodau yn y maes

(b) Cadw cofnod o'r gweithiau yr ymgynghorwyd â hwy

Wrth wneud nodiadau o lyfr, dylech bob amser gofnodi teitl y llyfr, yr awdur, a dyddiad a lle ei gyhoeddi. Mae'n bosibl y bydd yn rhaid i chi edrych ar eich nodiadau yn ddiweddarach ac fe argymhellir eich bod yn cofnodi union rifau'r tudalennau yn y nodiadau. Bydd y wybodaeth hon yn eich galluogi i lunio llyfryddiaeth ac mae gofyn am hyn yn aml ar ddiwedd traethawd.

Beth yw llyfryddiaeth?

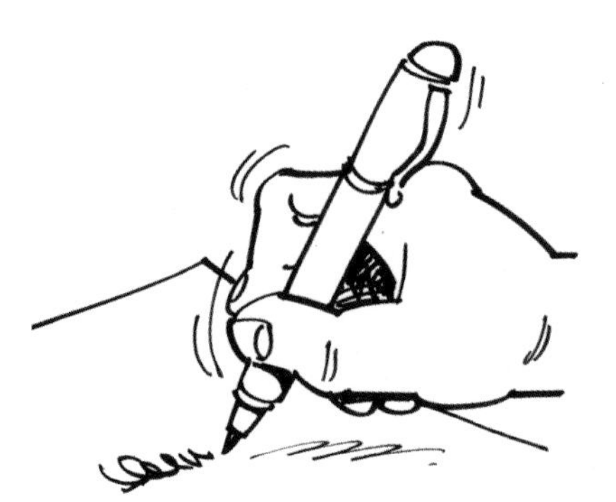

Dyma restr o lyfrau sy'n gysylltiedig â'r testun penodol sy'n cael ei astudio. Caiff ei threfnu yn nhrefn yr wyddor fel rheol yn ôl cyfenw'r awdur a dylai gynnwys teitl llawn y cyhoeddiad, enw'r cyhoeddwyr a'r dyddiad cyhoeddi. Yn achos erthygl dylid nodi enw'r cyfnodolyn y daw'r erthygl ohono, ynghyd â rhif y gyfrol a blwyddyn ei chyhoeddi. Os yw'r erthygl wedi'i lawrlwytho o'r Rhyngrwydd, yna dylid darparu'r cyfeiriad gwe http. llawn.

Enghraifft:

Llyfr:
Hughes, L. *Peter the Great: A Biography* (Yale, 2004).

Erthygl:
Grey, I. 'Peter the Great in England' *History Today, 6* (1956), tt.225-34.

Gwefan:
Trueman, C. '*Peter the Great*'
http://www.historylearningsite.co.uk/peter_the_great.htm

2. Llunio nodiadau

Credir yn aml bod llunio nodiadau yn dipyn o faich, ac yn broses hir a llafurus sy'n ymddangos yn ddiflas a hen-ffasiwn mewn byd o dechnoleg cyflym. Fodd bynnag, gall set dda o nodiadau wneud gwahaniaeth mawr gan roi i chi'r cynhwysion hanfodol ar gyfer ysgrifennu traethawd deallus a datblygedig neu i wella gwybodaeth a dealltwriaeth ffeithiol. Mae'n hawdd defnyddio'r Rhyngrwyd i ymchwilio, dod o hyd i'r wybodaeth briodol a phwyso'r botwm argraffu. Y broses argraffu yw diwedd y gân i nifer o fyfyrwyr, ond mewn gwirionedd mae tudalen o nodiadau wedi'u hargraffu yn ddiwerth oni bai eich bod yn ei darllen yn ofalus a chodi'r pwyntiau mwyaf perthnasol.

Pam llunio nodiadau?

- Efallai eich bod wedi benthyg llyfr o lyfrgell, ac yn gorfod ei ddychwelyd;
- Bydd llunio nodiadau yn eich gorfodi i ddarllen y bennod o'r llyfr yn ofalus ac yn gwneud i chi benderfynu beth i'w ysgrifennu a sut i'w ddweud;

- Mae llunio nodiadau yn eich helpu i wneud synnwyr o'r hyn rydych chi'n ei ddarllen ac felly'n cynnig gwell dealltwriaeth;

- Gan fod rhaid canolbwyntio wrth lunio nodiadau bydd hyn yn eich helpu i atgyfnerthu eich gwybodaeth a dealltwriaeth o'r cyfnod – byddwch yn synnu at gymaint sydd wedi treiddio i'r isymwybod pan ddewch i ddarllen y nodiadau yn ddiweddarach;

- Mae llunio nodiadau da yn darparu crynodeb cryno o brif nodweddion pennod a bydd hyn yn eich helpu i adolygu yn ddiweddarach.

Y broses llunio nodiadau:

- Dechreuwch trwy ofyn i chi eich hunan pam ydw i'n llunio'r nodiadau hyn? Ai'r bwriad yw darparu ymchwil i draethawd neu eich helpu i fagu gwybodaeth a dealltwriaeth ehangach o'r testun yr ydych yn ei astudio? Ar ôl i chi benderfynu ar y pwrpas, bydd hyn yn penderfynu ar y deunydd i'w gofnodi ac ar y drefn yr ydych yn ei gofnodi.

- Cam cyntaf llunio nodiadau yw cip-ddarllen y bennod. Bydd hyn yn rhoi trosolwg o'r prif ddadleuon neu ddehongliadau.

- Wrth i chi ddarllen, gallech danlinellu geiriau neu frawddegau allweddol, neu eu huwcholeuo â marciwr lliw. Bydd hyn yn hoelio eich sylw ar y testun ac yn eich galluogi i godi'r prif bwyntiau. Mae hyn yn iawn os ydych yn gweithio o lungopi neu allbrint cyfrifiadur, ond efallai na fyddwch am farcio gwerslyfr yn y modd hwn. Os felly, mae nodiadau 'post-it' neu bapurau gludiog yn ddefnyddiol i'ch galluogi i gofnodi'r pwyntiau allweddol, neu i weithredu fel nodau llyfr sy'n rhoi pwyntiau bwled o'r ffeithiau allweddol a drafodwyd ar y dudalen honno.

- Ail-ddarllenwch y bennod, gan wneud nodiadau wrth i chi fynd yn eich blaen. Mae'n bwysig eich bod yn cadw eich nodiadau yn gryno ac, os yn bosibl, yn eu hysgrifennu yn eich geiriau eich hunan. Os dymunwch, gallwch eu cofnodi fel cyfres o bwyntiau bwled, gan rannu'r nodiadau yn adrannau wedi eu diffinio'n glir gan ddefnyddio is-benawdau.

- Gan fod y nodiadau at eich defnydd chi yn unig, gallwch arbed amser trwy fabwysiadu llaw-fer a thalfyru geiriau sy'n digwydd yn aml a geiriau allweddol. Mae rhai talfyriadau yn amlwg fel PF (Prydain Fawr) neu *Ch.Diw.* am Chwyldro Diwydiannol, tra bo eraill efallai yn fwy niwlog ond yn wybyddus i chi. Beth bynnag fo'r talfyriad, mae'n bwysig eich bod yn cofio ei ystyr pan fyddwch yn dod i ddarllen eich nodiadau yn ddiweddarach. Fodd bynnag, peidiwch byth â defnyddio talfyriadau mewn unrhyw waith ysgrifenedig sydd i'w asesu'n ffurfiol. At eich defnydd preifat chi yn unig y dylid defnyddio talfyriadau.

Enghraifft o lunio nodiadau Safon U

Mae'r darn canlynol yn disgrifio digwyddiadau agoriadol y Rhyfel Cartref yn 1642 a oedd yn ymwneud â Chymru. Daw'r darn o lyfr gan Hugh Thomas, *A History of Wales*, 1485-1660 (Gwasg Prifysgol Cymru, 1972), tudalennau 205-07.

a) Eich tasg gyntaf yw darllen y darn, gan danlinellu (neu uwcholeuo) y pwyntiau allweddol wrth i chi wneud hynny:

'Gorymdeithiodd [Siarl] tua'r gorllewin i'r ffin â Chymru i recriwtio dynion ar gyfer yr ymosodiad ar Lundain. Tra oedd yn sefydlu ei bencadlys yn Amwythig, ac yn sefydlu ail ganolfan yng Nghaer, i ymrestru dynion ac arian, anfonwyd Tywysog Cymru i Raglan i fynnu cefnogaeth i'r achos brenhinol yn Ne Cymru. Erbyn dyddiau cynnar mis Hydref, roedd cryfder Siarl wedi dyblu ac ar y deuddegfed, gorymdeithiodd o Amwythig yng nghwmni byddin o oddeutu 16,000 o ddynion, yn eu plith nifer sylweddol o Gymry o'r gogledd a'r de. Roedd Iarll Essex gyda'r fyddin seneddol a oedd wedi bod yn segur yng Nghaerwrangon a'r cyffiniau, yn araf i'w dilyn, ond llwyddodd i oddiweddyd byddin y brenin ger Keynton wrth droed Edgehill. Ymladdwyd brwydr gyntaf y Rhyfel Cartref fan hyn. Heb arfau digonol na hyfforddiant, ni chwaraeodd y brenhinwyr Cymreig ran ogoneddus yn y frwydr – lladdwyd nifer ohonynt, a ffôdd llawer mwy. Roedd canlyniad amhenodol y frwydr yn golygu bod modd i'r brenin fynd ymlaen i Rydychen, ac oddi yno teithiodd ymlaen i Lundain. Yn Brentford llwyddodd y Cymry, dan arweiniad y Tywysog Rupert, dorri trwy faricedau'r gelyn, ond bu grym amlwg y seneddwyr yn Turnham Green yn ddigon i berswadio Siarl i symud nôl i Rydychen. Yn y cyfamser, roedd Ardalydd Hertford, gŵr y rhoddodd y brenin iddo'r hawl i arwain yn y gorllewin, ynghyd â theulu Rhaglan wedi recriwtio byddin arall yn Ne Cymru. Ar 4 Tachwedd, gadawodd Gaerdydd i ymuno â'r brenin yn Rhydychen, ond fe'i goddiweddwyd yn Tewkesbury gan Iarll Stamford, sef llywodraethwr seneddol Henffordd. Yn y frwydr a ddilynodd, trechwyd y brenhinwyr Cymreig unwaith eto gyda cholledion trwm iawn. Llwyddodd Hertford i ail-drefnu ei luoedd a chipio Henffordd, gan fod Stamford wedi ymadael â'r dref, felly ni chollwyd popeth. Ond ychydig iawn o gysur oedd i'r Cymry yn nigwyddiadau cynnar y rhyfel.

Roedd Cymru yn bwysig i'r achos brenhinol. Dyma un o ranbarthau recriwtio mwyaf addawol y brenin – roedd yr ymateb i'w apeliadau cynnar eisoes wedi dangos hyn. Roedd yn gwrth-bwyso dwyrain Lloegr a oedd dan reolaeth y Senedd, ac roedd hefyd yn cynnig sail strategol ar gyfer cyrchoedd milwrol y dyfodol. Yn ogystal, roedd yn cynnig mynediad rhwydd i Iwerddon lle roedd y brenin eisoes yn cynnal trafodaethau i ennill cefnogaeth dynion ac arian. Felly, roedd yn allweddol bwysig i'r brenin reoli siroedd y gororau; yn yr un modd, byddai selio Cymru yn fantais i'r Senedd. Roedd hi'n anorfod felly bod y gororau yn theatr ryfel bwysig wrth i'r ddwy ochr frwydro i reoli'r ardal. Ar ddechrau'r rhyfel, roedd cydbwysedd grym rhwng y naill ochr a'r llall – y brenhinwyr a ddaliai Gaer, Amwythig a chadarnleoedd eraill yn rheoli'r rhan ogleddol, a'r Senedd a ddaliai Henffordd, Caerloyw a Bryste yn rheoli'r de.

(b) Gan ddefnyddio'r nodiadau a danlinellwyd fel canllaw, gallwch nawr ddechrau llunio eich crynodeb o'r pwyntiau allweddol:

Cyf: Hugh Thomas, *History of Wales, 1485-1660* (1972), tt.205-07

Cysylltiad Cymru â chamau cyntaf y Rhyfel Cartref:

i. Siarl yn ceisio recriwtio cefnogaeth yng Nghymru
- Amwythig a Chaer yn ganolfannau yn y gogledd
- Rhaglan yn ganolfan yn y de

ii. 12 Hyd 1642, Siarl yn gadael Amwythig gydag 16,000 o ddynion (gan gynnwys nifer o Gymry)
- dod wyneb yn wyneb â'r fyddin Seneddol dan Essex yn Edgehill
- brwydr gyntaf y Rhyfel Cartref ond y canlyniad yn amhenodol
- rôl y milwyr Cymreig ddim yn ogoneddus

iii. Siarl yn mynd ymlaen i Rydychen a Llundain
- lluoedd Cymreig yn cael gwell llwyddiant yn Brentford dan y Tywysog Rupert
- ond lluoedd Seneddol cryfach yn peri i Siarl symud nôl i Rydychen

iv. Ardalydd Hertford yn codi byddin arall yn Ne Cymru
- llu Seneddol dan Stamford yn trechu'r llu hwn yn Tewkesbury
- Hertford yn ail-ymgynnull ac yn cipio Henffordd

Pwysigrwydd Cymru i Siarl:
i. Fel canolfan recriwtio
ii. Agor y ffordd i Iwerddon a chefnogaeth bosibl oddi yno
iii. Roedd yn hanfodol i Siarl reoli siroedd y gororau yn y gogledd fel Caer ac Amwythig gan fod y Senedd yn rheoli Henffordd, Caerloyw a Bryste yn y de

Eich tasg

Dewsiwch ddarn o ysgrifennu (tua 2-3 tudalen o hyd) o werslyfr sy'n ymwneud â'r cyfnod rydych chi'n ei astudio. Ceisiwch grynhoi'r prif bwyntiau fel cyfres o bwyntiau bwled.

3. Ysgrifennu'r traethawd

Dyma gam olaf y broses, ond ni ellir ei gwblhau'n llwyddiannus oni bai bo'r ymchwil cefndirol a'r nodiadau a luniwyd eisoes wedi bod yn ddigon trylwyr. Bydd set dda o nodiadau yn gerrig sylfaen ar gyfer eich traethawd a dylech ddechrau trwy ddrafftio cynllun ar gyfer eich traethawd. Bydd hyn yn rhoi strwythur i'ch ateb. Bydd angen penderfynu beth i'w ddweud ymhob paragraff a'i gysylltu â'r adrannau perthnasol yn eich nodiadau. Gall hyn fod yn broses gymhleth ac fe'i trafodir yn fanylach yn y bennod nesaf.

Pa sgiliau fyddaf yn eu dysgu wrth i mi astudio Hanes Safon UG/U?

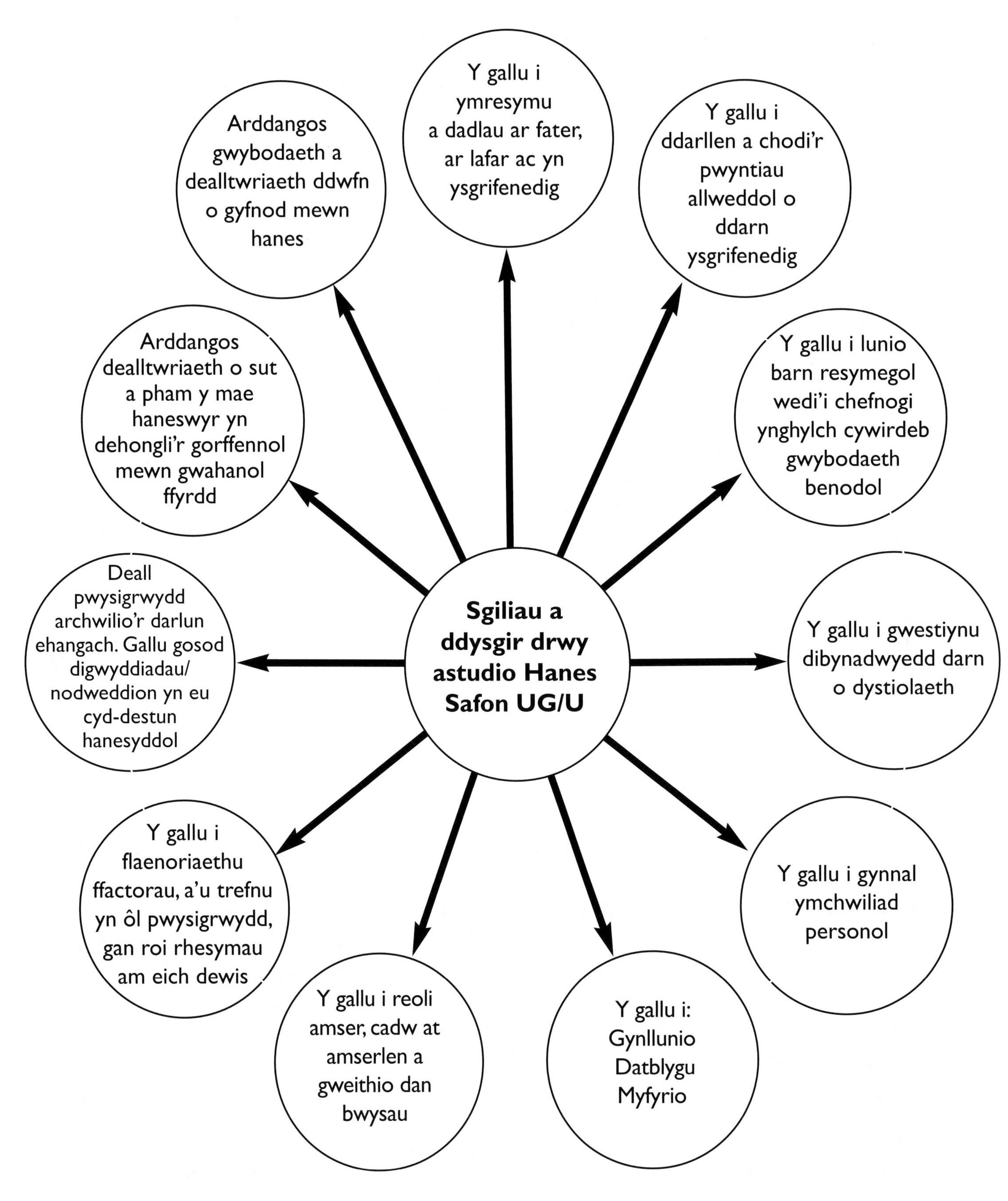

Drwy astudio hanes safon UG ac U, byddwch yn dysgu ystod o sgiliau a fydd yn eich helpu yn eich pynciau eraill, yn eich astudiaethau yn y dyfodol ac yn eich swydd yn y pen draw. Mae'r penodau nesaf yn ymdrin mewn dyfnder â'r sgiliau hyn i gyd, ac wrth i chi symud drwy'r adrannau, cewch gyfle i ddatblygu a meistroli'r sgiliau hyn.

PENNOD DAU

ARDDANGOS SGILIAU'R HANESYDD

Ysgrifennu estynedig: y cwestiynau traethawd strwythuredig a thraethawd penagored

Y Cwestiwn Traethawd

Un o ofynion unrhyw gwrs Hanes Safon UG/U yw gallu arddangos eich gwybodaeth hanesyddol a dangos eich bod yn deall y testun. Caiff hyn ei brofi wrth i chi lunio darn ysgrifenedig estynedig mewn ymateb i gwestiwn penodol. **Ysgrifennu traethawd yw un o'r dulliau gorau o brofi eich dealltwriaeth o destun.** Mae'n gofyn i chi ddethol ac ad-drefnu deunydd perthnasol er mwyn cynhyrchu ateb penodol i gwestiwn neilltuol. Ar y papur arholiad, bydd y darn ysgrifennu estynedig hwn fel rheol ar un o ddwy ffurf: naill ai'r **cwestiwn traethawd strwythuredig** neu'r **cwestiwn traethawd penagored.**

Waeth beth yw arddull y cwestiwn traethawd, bydd ei ddiben yr un fath – i brofi eich gallu i ysgrifennu'n estynedig, o fewn amser cyfyngedig, er mwyn cynhyrchu ateb gwybodus, strwythuredig a rhesymegol. Bydd y cwestiwn wedi'i gynllunio i brofi dau, weithiau tri, o'r Amcanion Asesu a restrir isod.

CRYNODEB O'R AMCANION ASESU

AA1a – arddangos eich **gwybodaeth a'ch dealltwriaeth** o hanes

AA1b – arddangos eich gallu i **egluro, dadansoddi a dod i gasgliad**

AA2a – arddangos eich gallu i **ddadansoddi a gwerthuso ffynonellau**

AA2b – arddangos eich dealltwriaeth o **ddehongliadau hanesyddol**

Mae'r rhan fwyaf o gwestiynau traethawd wedi'u llunio'n benodol i brofi Amcanion Asesu 1a ac 1b ac, o bryd i'w gilydd, 2b.

Beth sy'n gwneud traethawd da?

Mae tair prif ran i bob traethawd y byddwch yn ei ysgrifennu:

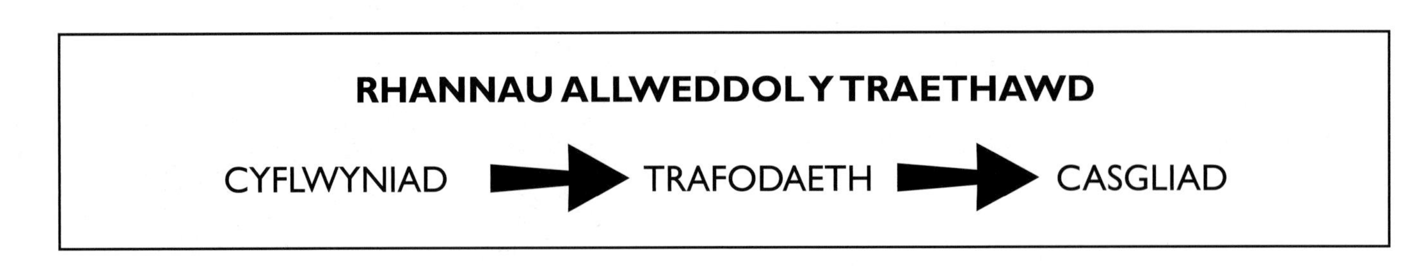

CYFLWYNIAD

- Dyma adran agoriadol y traethawd lle mae'n rhaid i chi gyflwyno'r testun a dangos dealltwriaeth o'r hyn y mae'r cwestiwn yn ei ofyn;
- Rhaid egluro unrhyw dermau, enwau neu ddyddiadau allweddol y mae'r cwestiwn yn sôn amdanynt;
- Rhaid gosod y sefyllfa, amlinellu'r prif drywyddau ymholi ac adnabod unrhyw wrth-ddadleuon neu ddehongliadau.

TRAFODAETH

- Dyma brif ran y traethawd lle mae'n rhaid trafod y materion allweddol y mae'r cyflwyniad yn cyfeirio atynt;
- Rhaid ysgrifennu cyfres o baragraffau, gyda phob un yn datblygu mater allweddol neu drywydd ymholi;
- Bydd angen manylion hanesyddol perthnasol i gefnogi pob mater allweddol neu drywydd ymholi;
- Rhaid i'r paragraffau ddilyn mewn trefn resymegol a rhaid eu cysylltu â'i gilydd;
- Dylech gyfeirio'n ôl at y cwestiwn yn rheolaidd i ddangos bod y wybodaeth yn berthnasol a'ch bod yn ateb y cwestiwn yn uniongyrchol.

CASGLIAD

- Dyma'r lle i ddirwyn eich ateb i ben;
- Mae angen cloi'r ddadl, gan gyfeirio'n ôl at y prif bwyntiau a godwyd yn yr adran drafodaeth;
- Mae angen cysylltu'r pwyntiau â'i gilydd;
- Mae'n bwysig iawn bod y casgliad wedi ei gyfiawnhau, a'i fod yn cyfeirio'n ôl yn uniongyrchol at y cwestiwn.

Drwy gydol y broses bydd gofyn i chi ddadlau achos, gan archwilio gwahanol safbwyntiau'r ddadl a chefnogi hyn â gwybodaeth ffeithiol berthnasol i egluro a chyfiawnhau eich trywyddau ymholi. Peidiwch â phoeni'n ormodol a oes ateb cywir neu anghywir; yr agwedd bwysicaf yw eich bod wedi dethol gwybodaeth briodol ac wedi llunio dadl resymegol sy'n cefnogi eich ateb i'r cwestiwn. Strwythur a chysondeb y ddadl, yn hytrach na chynnwys ffeithiol, sydd yn ennill y gydran marc uchaf.

Cofiwch

Mae'n rhaid i draethawd da fod yn ddarllenadwy a rhaid bod ganddo ddilyniant rhesymegol.

Cymhariaeth

Wrth ysgrifennu traethawd, rydych chi'n debyg i fargyfreithiwr mewn llys. Mae'r bargyfreithiwr yn amddiffyn ei gleient/chleient a rhaid iddo/iddi argyhoeddi'r rheithgor na wnaeth y person a gyhuddwyd gyflawni'r drosedd y cyhuddwyd ef/hi ohoni. Er mwyn gwneud hyn, mae'n rhaid i'r bargyfreithiwr lunio achos, a chyflwyno tystiolaeth i'r rheithgor i brofi nad yw'r sawl a gyhuddwyd yn euog o'r cyhuddiad. Ni fydd y rheithgor yn debygol o gredu'r bargyfreithiwr oni bai bod yr achos wedi'i lunio'n dda ac wedi'i gefnogi gan fanylion ffeithiol a gafodd eu profi.

Yn yr un modd, bydd traethawd da yn ceisio llunio achos rhesymegol, gan ddarparu manylion hanesyddol perthnasol i gefnogi'r ddadl. Bydd yn rhaid i chi arddangos y gallu i feddwl yn glir a llunio dadl a gefnogwyd yn dda. Bydd y bargyfreithiwr yn cyfiawnhau'r achos trwy alw tystion i ddarparu tystiolaeth, a bydd traethawd da yn cynnwys ystod o fanylion ffeithiol i gefnogi a phrofi'r ddadl. Yn yr un modd ag y mae'n rhaid i'r bargyfreithiwr brofi achos, bydd ar draethawd da angen dadl sicr wedi ei chefnogi gan ffeithiau perthnasol a thystiolaeth ddilys. Bydd arno angen cyflwyniad, trafodaeth resymegol o'r dystiolaeth a diweddglo ar ffurf casgliad strwythuredig. Dylid cofio y bydd gan fargyfreithiwr sydd wedi paratoi'r achos yn dda ac wedi cynnal yr ymchwil angenrheidiol i ganfod tystiolaeth i gefnogi'r achos, well siawns o argyhoeddi'r rheithgor. Yn yr un modd, os ydych chi wedi adolygu'n drylwyr, darllen y wybodaeth gefndirol angenrheidiol, gosod y digwyddiad yn ei gyd-destun hanesyddol cywir a llunio dadl resymegol gyda chefnogaeth dda, yna byddwch yn argyhoeddi'r arholwr bod eich traethawd yn haeddu marciau uchel.

Mae'r cwestiwn strwythuredig yn amrywiad ar y cwestiwn Safon U penagored traddodiadol, ac fe'i defnyddir yn fwy cyffredin yn Safon UG. Yr unig wahaniaeth rhwng y ddau fath o draethawd yw bod y cwestiwn strwythuredig wedi'i rannu'n ddwy is-adran. Er bod dwy ran i'r cwestiwn strwythuredig, mae gan amlaf wedi'i **seilio ar un thema**. Mae'r rhan gyntaf fel rheol yn gwestiwn o'r math disgrifiadol, sydd yn werth llai o farciau na'r ail ran, sy'n gofyn am fwy o arfarnu a dadansoddi. Yn aml bydd angen i chi ddod i gasgliad gan raddio'r achosion, digwyddiadau neu ganlyniadau digwyddiad yn ôl trefn pwysigrwydd.

Mae angen yr un sgiliau i ateb y cwestiwn strwythuredig ag sydd eu hangen i ateb y cwestiwn penagored. Bydd rhaid i chi gynllunio eich ateb a dadlau'n dda drwy'r ddwy adran.

Pa fathau o gwestiynau traethawd y mae'r Byrddau Arholi yn eu gofyn?

Mae'r gwahanol Fyrddau Arholi yn tueddu i ofyn yr un math o gwestiynau traethawd a bydd y cwestiwn bob amser wedi ei eirio mewn modd a fydd yn gwahodd dadlau a dadansoddi. Bydd pob cwestiwn naill ai'n dechrau neu'n gorffen â **geiriau gorchmynnol** pwysig, a fydd yn tywys yr ymgeisydd o ran sut i ateb y cwestiwn. Felly, mae'n bwysig iawn talu sylw manwl i'r **geiriau gorchmynnol** hyn.

Isod gwelir **geiriau gorchmynnol** cyffredin a ddefnyddir yng nghwestiynau traethawd U ac UG:

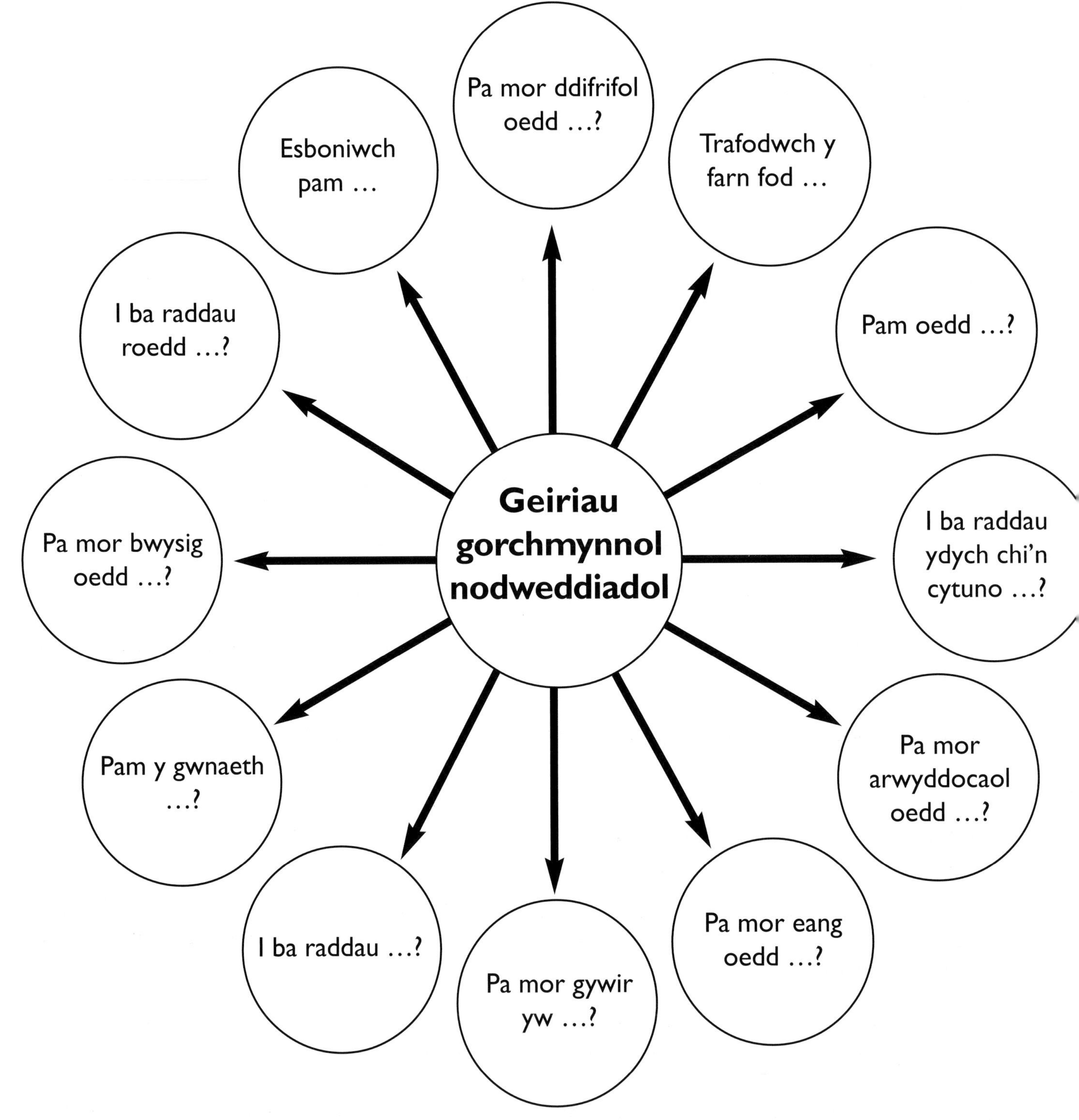

Mae'r holl gwestiynau hyn yn **werthusol**. Maen nhw'n gofyn i chi **bwyso a mesur y dystiolaeth**, gan **werthuso un ffactor yn erbyn un arall** cyn dod i **farn resymegol.** Dylai'r farn hon **arddangos cysylltiadau â'r geiriau gorchmynnol** yn y cwestiwn a dylid ei **chadarnhau â gwybodaeth ffeithiol benodol** sy'n berthnasol i'r pwnc dan sylw.

Enghreifftiau o gwestiynau traethawd strwythuredig yn defnyddio'r **geiriau gorchmynnol** hyn:

Yn y traethawd strwythuredig, mae'r cwestiwn gan amlaf wedi'i rannu'n ddwy adran: **rhan (a)**, sy'n tueddu i fod yn fwy disgrifiadol, a **rhan (b)**, sydd yn fwy dadansoddol. Bydd llai o farciau i ran (a) na rhan (b).

Cwestiynau rhan (a):
Esboniwch pam …

Cwestiynau rhan (b):
I ba raddau …?
Pa mor bwysig oedd …?
Pa mor arwyddocaol oedd …?

Dyma rai enghreifftiau cyffredin:

1 (a) ***Esboniwch pam*** *y goresgynnodd Ffredric Fawr Silesia yn 1740.*

(b) ***I ba raddau roedd*** *nerth milwrol Prwsia yn gyfrifol am ei grym cynyddol yn y cyfnod hwn?*

2 (a) ***Esboniwch pam*** *roedd y Balcanau yn ansefydlog hyd at 1914.*

(b) ***I ba raddau roedd*** *Y System Gynghreirio yn gyfrirfol am gychwyn y Rhyfel Byd Cyntaf?*

Enghreifftiau o gwestiynau traethawd penagored yn defnyddio'r geiriau gorchmynnol hyn:

I ba raddau roedd *y Rhyfel Byd Cyntaf yn gyfrifol am gwymp y wladwriaeth Ryddfrydol yn yr Eidal?*

Pa mor bwysig oedd *William Wilberforce i'r ymgyrch i ddileu rhan Prydain yn y fasnach gaethion?*

Pa mor arwyddocaol oedd *rôl John Wilkes yn adfywiad y cynnwrf diwygiadol ym Mhrydain yn yr 1760au a'r 1770au cynnar?*

I ba raddau roedd *twf y Senedd yn gyfrifol am wanhau grym y Goron erbyn 1603?*

O bryd i'w gilydd, gall y cwestiwn ofyn i chi werthuso dyfyniad byr, gyda'r geiriau gorchmynnol yn dod ar ôl y dyfyniad:

'Rhwng 1933 ac 1937, roedd gwrthwynebiad pobl Prydain i wrthdaro â phwerau tramor yn golygu nad oedd gan y Llywodraeth Genedlaethol ddewis ond dilyn polisi o ddyhuddo Hitler a Mussolini.' **I ba raddau ydych chi'n cytuno â'r** *casgliad hwn?*

'Roedd amodau cymdeithasol ac economaidd bob amser yn ffactor, ond anaml yn driger.' **Trafodwch y farn hon am** *achosion gwrthryfeloedd yn Lloegr ac Iwerddon yn ystod oes y Tuduriaid.*

'Ofn Rwsia oedd y prif ffactor wrth wraidd y berthynas rhwng Prydain ac Ewrop rhwng 1880-1980.' **Trafodwch y safbwynt hwn.**

Eich tasg

Gan ddefnyddio'r geiriau gorchmynnol yn y map meddwl ar dudalen 24, lluniwch enghreifftiau o'ch cwestiynau eich hun i ymdrin â'r cyfnod hanesyddol rydych yn ei astudio ar gyfer Safon UG neu U.

Ceisiwch ddyfeisio **tair enghraifft** o'r traethawd strwythuredig a **thair** o'r traethawd penagored.

Beth sy'n rhaid i chi ei wneud i ateb y mathau hyn o gwestiynau traethawd?

Ar ôl i chi ddewis y cwestiynau traethawd yr ydych am eu hateb, mae'n rhaid i chi adnabod y geiriau gorchmynnol. Bydd y geiriau hyn yn dweud wrthych pa arddull y dylid ei fabwysiadu yn eich ateb. Gall amlygu neu gylchu'r geiriau hyn eich helpu i ganolbwyntio arnyn nhw.

Y cam nesaf yw sefydlu beth yn union y mae'r geiriau gorchmynnol yn gofyn i chi ei wneud:

- Mae cwestiynau '**Esboniwch**' a '**Pam**' yn gofyn i chi adnabod rhestr o resymau, gan egluro pam neu sut y mae pob un wedi cyfrannu i'r digwyddiad y mae'r cwestiwn yn sôn amdano.
- Mae cwestiynau **'I ba raddau**' yn gofyn i chi ddod i gasgliad ar ôl pwyso a mesur un ffactor yn erbyn un arall.
- Mae cwestiynau '**Aseswch**' a '**Pa mor bwysig oedd**' neu '**Pa mor llwyddiannus oedd**' yn gofyn i chi ddod i gasgliadau wedi'u cefnogi gan resymau, esboniadau a thystiolaeth. Yn aml bydd angen i chi werthuso'r ffactor y mae'r cwestiwn yn sôn amdano mewn perthynas â ffactorau eraill.
- Mae **dyfyniad** wedi'i ddilyn gan '**Trafodwch**' yn gofyn i chi adnabod yn glir y mater dan sylw a chynhyrchu ymateb rhesymegol â digon o gefnogaeth.

Mae angen **dull ymchwiliol** i ateb pob un o'r mathau hyn o gwestiynau. Ni ddylech eu hateb mewn **dull naratif**. Dyma'r prif wahaniaeth rhwng Hanes safon TGAU a safon U – yn TGAU, cewch eich gwobrwyo am eich gwybodaeth ffeithiol ac yn aml rhoddir marciau uchel am y gallu i 'adrodd y stori' trwy gyfrwng naratif da. Dydy hyn ddim yn wir yn Safon UG/U, ac ni fyddwch yn ennill marciau uchel am dreulio amser yn ysgrifennu naratif estynedig gan na fydd y dull hwn fel rheol yn ateb y cwestiwn. Rhaid profi atebion cwestiynau traethawd a rhaid iddynt ddilyn strwythur rhesymegol, gyda phob paragraff yn ffurfio dilyniant rhesymegol i'r ddadl. Fel gyda phob agwedd ar eich astudiaethau Safon UG/U, fe ddaw'r gwaith o ysgrifennu traethodau yn haws gydag ymarfer.

Cofiwch

'Nid yw'r gallu i ysgrifennu traethodau da yn dod yn rhwydd i lawer o bobl. Mae'n sgìl sy'n gofyn am sylw ac ymarfer cyson.'

Dr. Paul Hayward, Darlithydd Hanes, Prifysgol Caerhirfryn

Cymhariaeth

Ni fyddai myfyriwr deunaw oed yn disgwyl pasio ei brawf/phrawf gyrru heb yn gyntaf gael rhai gwersi gyrru ymarferol er mwyn dysgu ac ymarfer sut i drin a llywio'r car. Mae gwersi o'r fath yn hanfodol er mwyn deall a dysgu hanfodion gyrru. Mae diffyg paratoi trylwyr yn siŵr o arwain at fethiant.

Yn yr un modd, ni ddylai myfyriwr deunaw oed ddisgwyl gallu ysgrifennu traethodau yn hyfedr heb ymarfer o flaen llaw. Ni allwch ddisgwyl mynd i'r ystafell arholi ac ysgrifennu traethawd o'r radd flaenaf mewn amser cyfyngedig oni bai eich bod wedi ymarfer y dechneg o ysgrifennu dan bwysau. Mae ymarfer yn eich galluogi i ganfod eich gwendidau, megis amseru gwael neu ddiffyg gwybodaeth ffeithiol, ac yn rhoi'r cyfle i chi unioni'r diffygion hyn cyn i chi sefyll yr arholiad terfynol. O wneud hyn, byddwch yn hyderus y gallwch roi o'ch gorau beth bynnag fo'r cwestiwn. Fel y prawf gyrru, dylech anelu at basio'r tro cyntaf.

Arwyddair ar gyfer llwyddo: *Rhaid ymarfer yn rheolaidd a pharatoi.*

Canllawiau ar gyfer ysgrifennu traethawd yn llwyddiannus

Ateb y cwestiwn traethawd strwythuredig

Dyraniad marciau:
Sylwch ar y marciau a ddyrannwyd i bob rhan o'r cwestiwn. Mae'n debygol y bydd llawer llai o farciau i ran (a) na rhan (b), ac felly dylech gofio hynny wrth benderfynu ar hyd eich ateb. Os yw rhan (a) yn werth 12 marc a rhan (b) yn werth 24 marc, yna byddai disgwyl i chi ysgrifennu ddwywaith cymaint i ran (b) ag i ran (a).

Amseru:
Rhowch sylw i amseriad eich ateb. Os oes llai o farciau wedi'u dyrannu i ran (a), yna dylech dreulio llai o amser yn ateb rhan (a) na rhan (b). Camgymeriad cyffredin ymhlith ymgeiswyr yw treulio tua'r un faint o amser ar bob adran ac, weithiau, treulio mwy o amser ar ran (a) na rhan (b). Fyddwch chi ddim yn ennill marciau uchel wrth wneud hyn!

Geiriau gorchmynnol:
Dylech dreulio amser yn edrych ar yr hyn y mae pob is-adran yn gofyn i chi ei wneud, gan roi sylw penodol i'r geiriau gorchmynnol. Os yw cwestiwn yn cychwyn ag 'I ba raddau…', gwnewch yn siŵr bod eich ateb yn edrych yn fanwl ar y ffactor dan sylw ac yn ei werthuso yn erbyn ffactorau eraill nad yw'r cwestiwn yn sôn amdanynt, gan ofalu i orffen y traethawd â chasgliad. Cofiwch fod yn rhaid cefnogi eich ateb â manylion ffeithiol, cywir.

Ansawdd y Cyfathrebu Ysgrifenedig (ACY):
Dylech ysgrifennu eich ateb mewn paragraffau, gan gofio y bydd eich ateb yn cael ei asesu, yn rhannol, ar ansawdd eich cyfathrebu ysgrifenedig, sef sillafu, atalnodi a gramadeg. Dylech osgoi defnyddio is-benawdau, pwyntiau bwled neu dalfyriadau a sicrhau eich bod yn dilyn rheolau sylfaenol ysgrifennu traethawd – cyflwyniad, trafodaeth, casgliad. Bydd hyn yn ofynnol yn rhan (b) ond nid o reidrwydd yn rhan (a). Gan mai ateb disgrifiadol ei natur fydd rhan (a) yn aml, gallech ei ysgrifennu mewn un paragraff hir gan osgoi'r angen am gyflwyniad, trafodaeth a chasgliad.

Ateb y cwestiwn traethawd penagored

1. Cynlluniwch eich traethawd yn ofalus

- Mae'n hanfodol cynllunio beth rydych yn mynd i'w ddweud;
- Rhestrwch y pwyntiau allweddol a phenderfynwch ar y drefn orau i'w gosod;
- Ni fydd gennych amser i wneud cynllun manwl dan amodau arholiad, ond mae'n dal yn hanfodol eich bod yn gwneud rhestr fer o'r materion allweddol sydd angen eu trafod;
- Ar ôl i chi wneud eich rhestr, rhifwch bob pwynt fel y gallwch ddilyn trywydd rhesymegol;
- Bydd cynllun da yn gwneud traethawd da; bydd treulio rhai munudau yn rhoi trefn ar eich meddyliau yn eich galluogi i roi strwythur i'ch traethawd;
- Er gwaetha'r hyn y mae nifer o fyfyrwyr Chweched Dosbarth yn ei gredu, nid gwastraff amser yw llunio cynllun ond yn hytrach arf hynod werthfawr i ddarparu strwythur hanfodol;
- Cofiwch bwysigrwydd yr amseru – gwnewch yn siŵr bod gennych ddigon o amser i gwblhau pob adran o'r traethawd.

2. Gofalwch eich bod yn deall yr hyn y mae'r cwestiwn yn ei ofyn

- Beth yw'r geiriau gorchmynnol?
- Beth yw'r dyddiadau penodol?
- Os yw'r cwestiwn yn ymdrin â chyfnod gan nodi dyddiad dechrau a gorffen, gofalwch eich bod yn trafod y cyfnod cyfan;
- A yw'r cwestiwn yn cyfeirio at agwedd benodol megis agwedd ddomestig, economaidd, gwleidyddol, cymdeithasol neu ddiwylliannol?

3. Gofalwch eich bod yn cynnwys gwybodaeth sy'n berthnasol i'r cwestiwn yn unig

- Peidiwch ag ysgrifennu popeth rydych yn ei wybod am y testun;
- Gofalwch fod y wybodaeth yn ateb y cwestiwn;
- Gofalwch fod y wybodaeth yn gywir;
- Dylech osgoi llên-ladrad; peidiwch â chopïo adrannau o werslyfrau – byddwch yn ddetholus gan ail-eirio'r wybodaeth i ateb gofynion y cwestiwn;
- Cyfeiriwch yn ôl at y cwestiwn yn rheolaidd, naill ai ar ddechrau neu ar ddiwedd pob paragraff; mae hyn yn helpu i ddangos cysylltiadau.

4. Gofalwch fod eich dadl yn rhesymegol a bod digon o gefnogaeth iddi

- Mae hyn yn hanfodol i arddangos gwybodaeth a dangos eich bod yn deall y testun;
- Gofalwch eich bod yn cynnwys ystod o enghreifftiau penodol;
- Ceisiwch ymdrin â'r ddadl yn eang – peidiwch â mabwysiadu agwedd gul drwy ganolbwyntio ar un neu ddau fater yn unig;
- Os yw cwestiwn yn gofyn i chi ystyried gwrth-safbwynt neu wrth-ddehongliad, gofalwch eich bod yn rhoi digon o amser i ddwy ochr y ddadl – rhaid i'ch ateb fod yn gytbwys;
- Gofalwch eich bod yn dangos cysylltiadau â'r cwestiwn ei hun;
- Ceisiwch gysylltu paragraffau fel bod y ddadl yn llifo;
- Dylech osgoi torri a gludio paragraffau o wefannau fel Wikipedia. Bydd angen hidlo'r wybodaeth yma, gan ddethol yr hyn sy'n berthnasol ac angenrheidiol i ateb y cwestiwn yn unig.

5. Ansawdd y cyfathrebu ysgrifenedig (sillafu, atalnodi a gramadeg)

- Treuliwch amser yn darllen dros eich traethawd i wirio ei fod yn ddarllenadwy;
- Dylech osgoi defnyddio pwyntiau bwled neu dalfyriadau;
- Peidiwch â defnyddio iaith destun; ysgrifennwch y geiriau yn llawn;
- Cofiwch ysgrifennu mewn brawddegau llawn a rhannu'r testun yn baragraffau;
- Cofiwch bwysigrwydd strwythur y traethawd – cyflwyniad, trafodaeth a chasgliad.

Sut y caiff traethodau Safon UG ac U eu marcio?

Pan gaiff y traethawd ei farcio, defnyddir cynllun marcio lefel ymateb. Bydd y cynllun wedi'i rannu'n bedair, weithiau pump, lefel ymateb, pob un yn cynnwys datganiadau generig i ddiffinio'r safonau a ddisgwylir ar lefel benodol. Bydd y sgiliau cymwysedd yn cynyddu ar bob lefel, ac adlewyrchir hyn yn y datganiadau generig a restrir isod. Byddai enghreifftiau o'r math o ddeunydd ffeithiol y disgwylir i'r ymgeisydd gynnwys yn yr ateb yn dilyn y datganiadau hyn.

Cynllun marcio generig ar gyfer traethodau UG ac U

	AA1a Arddangos eich **gwybodaeth a'ch dealltwriaeth hanesyddol**, a'i **gyfleu** mewn ffordd glir ac effeithiol	**AA1b** Arddangos eich dealltwriaeth o'r gorffennol drwy **egluro, dadansoddi** a dod i **gasgliadau rhesymegol**	**AA2b** Arddangos eich gallu i ddadansoddi a gwerthuso sut mae agweddau o'r gorffennol wedi cael eu **dehongli a'u cynrychioli mewn gwahanol ffyrdd**
Lefel 1 ↓	• gwybodaeth hanesyddol gyfyngedig a'r sylwadau yn ddisgrifiadol a chyffredinol • nid yw'r deunydd bob amser yn gywir neu berthnasol • ansawdd y cyfathrebu ysgrifenedig yn wan heb fawr o gysylltiad â rhannau o'ch gwaith	• yn deall y prif syniad yn y cwestiwn a osodwyd • dim cydbwysedd yn yr eglurhad ac yn wan o ran ffocws • ychydig iawn o gysylltiadau â'r cwestiwn, os o gwbl	• ymgais i drafod y dehongliad trwy gytuno neu anghytuno â'r gosodiad yn y cwestiwn yn unig • dim tystiolaeth i gefnogi eich sylwadau
Lefel 2 ↓	• yn arddangos gwybodaeth gyffredinol am y thema dan sylw • agweddau o'ch adroddiad yn berthnasol ran amlaf • ansawdd y cyfathrebu ysgrifenedig yn rhesymol	• yn gallu egluro a dangos dealltwriaeth o'r mater dan sylw • ymgais i wneud rhai cysylltiadau â'r cwestiwn • ymgais i ddod i gasgliad ynglŷn â'r cwestiwn ond nid yw wedi'i gefnogi'n dda nac yn gytbwys	• yn arddangos y gallu i drafod y dehongliad a gynigwyd • eich trafodaeth o'r dehongliad yn ddilys ac rydych yn cyfeirio at ddehongliadau gwahanol ond nid ydych yn gwerthuso nac yn egluro rhain yn iawn
Lefel 3 ↓	• yn arddangos gwybodaeth gywir am y thema dan sylw • eich adroddiad yn berthnasol • ansawdd y cyfathrebu ysgrifenedig yn dda gyda brawddegau a pharagraffau strwythuredig	• yn gallu trafod y mater dan sylw gydag ymgais gyson i egluro • yn gwneud cysylltiadau rheolaidd â'r cwestiwn • yn dod i gasgliad yn eich ateb ac yn ystyried gwrth-ddadl i'r un yn y cwestiwn	• yn gallu trafod y dehongliad a gynigir yng nghyd-destun un neu fwy o ddehongliadau gwahanol • yn dechrau ystyried y dehongliad yn nhermau datblygiad y ddadl hanesyddol sydd wedi digwydd • yn gwneud peth ymgais i egluro pam y ffurfiwyd y dehongliadau
Lefel 4	• yn arddangos gwybodaeth fanwl a chywir am y thema dan sylw • eich adroddiad yn eglur, trefnus ac wedi'i gynllunio'n dda • eich sillafu yn gywir a rheolau gramadegol yn cael eu cymhwyso'n gyson	• yn darparu eglurhad â chanolbwynt • cysylltiadau clir a chyson â'r cwestiwn drwy'r adroddiad • gwelir casgliadau amlwg a chytbwys, wedi'u cefnogi a'u cynnal drwy'r traethawd	• yn gallu trafod y dehongliad a gynigir yng nghyd-destun dehongliadau gwahanol • yn gallu ystyried dilysrwydd y dehongliadau yn nhermau datblygiad y cyd-destun hanesyddol • yn arddangos dealltwriaeth o sut a pham y cafodd y mater ei ddehongli mewn gwahanol ffyrdd

Nodweddion traethawd da:

Cofiwch

I gyrraedd y lefel uchaf, rhaid i chi gynnal y safon drwy'r traethawd, gan ymdrin â'r gofynion allweddol.

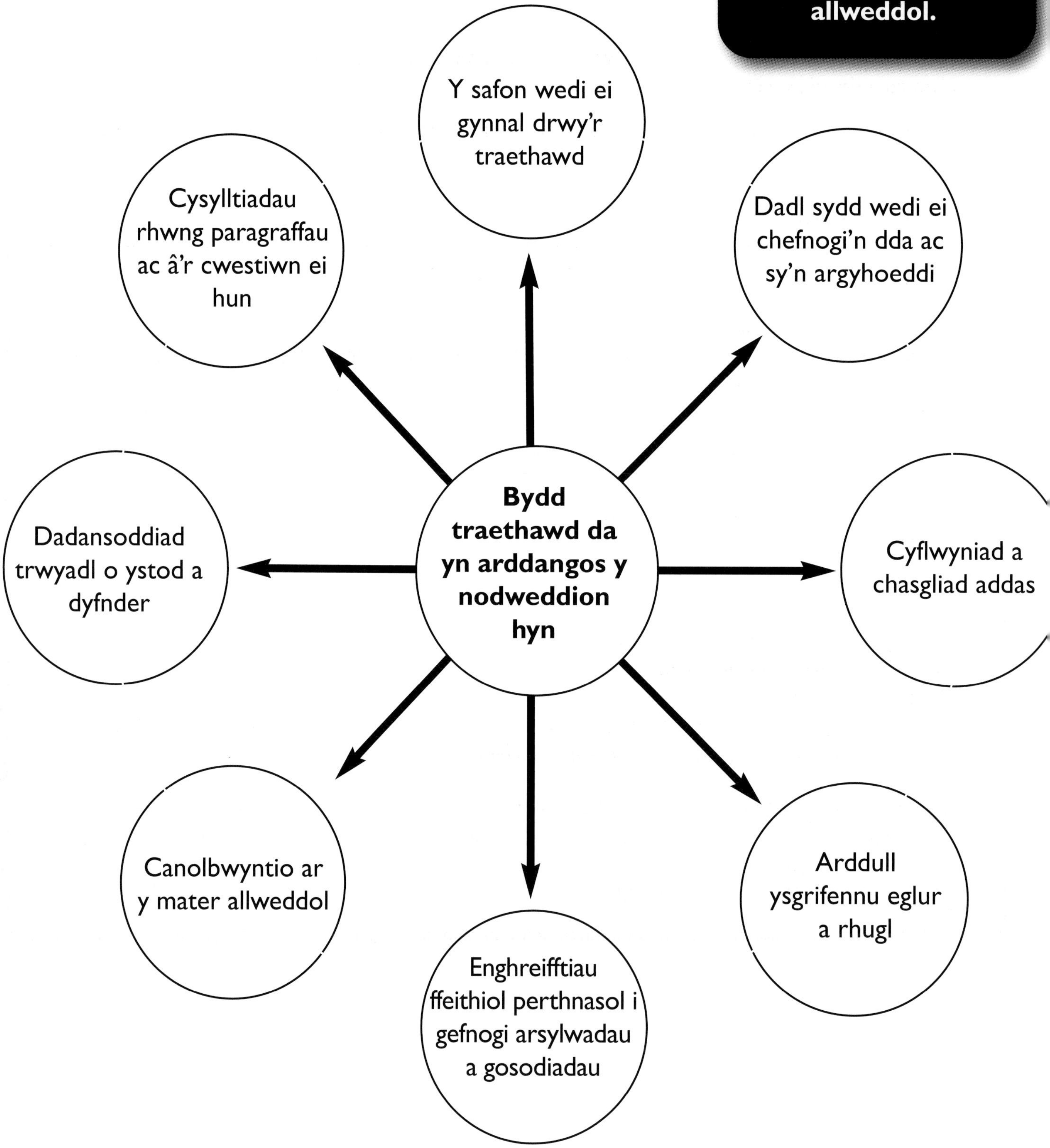

Bydd traethawd da yn arddangos y nodweddion hyn

- Y safon wedi ei gynnal drwy'r traethawd
- Dadl sydd wedi ei chefnogi'n dda ac sy'n argyhoeddi
- Cyflwyniad a chasgliad addas
- Arddull ysgrifennu eglur a rhugl
- Enghreifftiau ffeithiol perthnasol i gefnogi arsylwadau a gosodiadau
- Canolbwyntio ar y mater allweddol
- Dadansoddiad trwyadl o ystod a dyfnder
- Cysylltiadau rhwng paragraffau ac â'r cwestiwn ei hun

Ar ôl treulio amser yn edrych ar y theori wrth wraidd ysgrifennu traethawd da, boed yn un strwythuredig neu'n un penagored, mae'n bryd yn awr edrych ar ddetholiad o draethodau a ysgrifennwyd gan ymgeiswyr Safon UG ac U. Un o'r ffyrdd gorau o ddeall beth sy'n gwneud traethawd da yw trwy edrych ar sut y mae eraill wedi ceisio ateb cwestiwn penodol, gan nodi cryfderau a gwendidau eu hatebion. Dylech dybio bod yr enghreifftiau canlynol wedi'u hysgrifennu dan amodau arholiad, sy'n egluro pam y mae rhai ymatebion yn ymddangos ychydig yn fyr ac yn brin o fanylion penodol.

Enghreifftiau o ymatebion i'r cwestiwn traethawd strwythuredig

Thema allweddol sy'n cael ei phrofi: Bywyd yn yr Almaen Natsïaidd, 1933-39.

Cwestiwn:

1 (a) Ym mha ffyrdd roedd polisïau addysgol y Natsïaid yn adlewyrchu eu blaenoriaethau yn y blynyddoedd 1933-39?

(b) I ba raddau y rhoddwyd blaenoriaeth i baratoi ar gyfer rhyfel ym mholisïau economaidd y gyfundrefn Natsïaidd?

Atebion rhan (a):

Cyngor a chyd-destun ar ymatebion rhan (a):

Y geiriau gorchmynnol allweddol yw '**Ym mha ffyrdd roedd** ...' sy'n gofyn am ddadansoddi mater allweddol. Yn yr achos hwn, ffocws y cwestiwn yw'r system addysg Natsïaidd a'r graddau yr oedd ei pholisïau yn adlewyrchu blaenoriaethau'r Natsïaid rhwng y blynyddoedd 1933 ac 1939. Mae'r cwestiwn yn gofyn i ymgeiswyr adnabod blaenoriaethau'r Natsïaid yn ystod y blynyddoedd hyn megis:

- Sicrhau goroesiad y Reich mil flwydd drwy broses o gyflyru ieuenctid i ddilyn delfrydau Sosialaeth Genedlaethol;
- Canoli'r system ysgolion a phrifysgolion;
- Rheoli'r staff dysgu ac ail-lunio'r cwricwlwm i adlewyrchu ideoleg Natsïaidd.

Gallai ymgeiswyr gyfeirio at faterion megis:

- Yr ymgyrch i sicrhau ffitrwydd corfforol;
- Pwysigrwydd damcaniaeth hiliol;
- Delfrydau'r hil oruchaf;
- Mae'n bosibl y bydd rhai'n gweld Mudiad Ieuenctid Hitler fel rhan o'r ymgyrch addysgol i reoli ieuenctid a'u trwytho i ufuddhau a derbyn ideoleg Natsïaidd.

I gyrraedd y lefel uchaf, bydd disgwyl i chi ystyried o leiaf tri mater, a bydd yn rhaid eu cefnogi â manylion ffeithiol da. Bydd angen bod yn gyson ac yn ddadansoddol drwy gydol yr ateb, arddangos cysylltiadau rhwng materion a cheisio blaenoriaethu. Bydd angen casgliad rhesymegol neu ddatganiad clo da sy'n cysylltu â'r cwestiwn gwreiddiol.

Sylwadau'r arholwr

Cyfeiriad cyfyngedig at addysg

Ymgeisydd A

[a] Bwriad polisïau addysgol Natsïaidd oedd cyflyru ieuenctid yr Almaen. Cafodd athrawon eu cyfarwyddo a'u gorfodi i ddysgu dim ond sut a beth roedd y Natsïaid am i blant ei glywed. Roedd bioleg er enghraifft yn mynegi blaenoriaeth y Natsïaid o hil oruchaf gan ei fod yn cael ei ddefnyddio i arddangos goruchafiaeth Ariaidd. Cafwyd mwy o addysg gorfforol, i gynyddu ffitrwydd y genhedlaeth nesaf o filwyr Natsïaidd. Gall hyn hefyd awgrymu eu bod yn bwriadu rhyfela. Diswyddwyd athrawon Iddewig o'u hysgolion a symudwyd plant Iddewig hefyd yn y pen draw.

Cyfeiriad byr at ffactorau eraill ond heb ei ddatblygu

Roedd Mudiad Ieuenctid Hitler hefyd yn addysgu plant. Roedd yn eu dysgu sut i danio gwn yn gywir, taflu grenadau ac roedd ganddo ddriliau fel y fyddin; mae hyn eto yn awgrymu mai'r bwriad oedd troi bechgyn yn filwyr. Dysgwyd y merched mewn ysgolion sut i wau, gwnïo a sut i ddewis y dyn cywir i gael plentyn a fyddai'n enetig 'bur'. Roedd gan urdd merched yr Almaen a oedd yn gweithredu fel Mudiad Ieuenctid Hitler i hyfforddi merched i fod yn famau iach, ddriliau tebyg i rai Mudiad Ieuenctid Hitler.

Neidio'n ôl i'r cwricwlwm

Yn Hanes, cyflyrwyd plant i ddysgu am frwydrau mawr a methiannau o'r gorffennol a 'throseddwyr Tachwedd'. Roedd Daearyddiaeth yn dysgu am y tiroedd a dynnwyd oddi ar yr Almaen yng Nghytundeb Versailles a gwledydd a allai fod yn dargedau posibl ar gyfer lebensraum.

Diffyg casgliad nac unrhyw gysylltiadau uniongyrchol yn ôl i'r cwestiwn

Cafodd y polisïau addysgol eu defnyddio i greu cenhedlaeth o bobl a fyddai'n cefnogi'r Natsïaid heb unrhyw amheuaeth ac roedd y pwyslais ar addysg gorfforol yn awgrymu byddin i frwydro.

Addysg oedd un o'r camau cyntaf yn y gwaith o ddiarddel Iddewon a arweiniodd wedyn bob yn dipyn at hil-laddiad.

Sylwadau'r Arholwr

Ymgeisydd A

Teimlai'r arholwr fod yr ymgeisydd wedi tueddu i ddisgrifio yn hytrach na dadansoddi. Ychydig o ymgais oedd yna i gysylltu'r deunydd â'r cwestiwn ei hunan a digon cul oedd ystod y materion a drafodwyd. Cyfeiriwyd at rai pynciau a ddysgwyd ac at rôl Mudiad Ieuenctid Hitler. Roedd cyfeiriad byr at bwysigrwydd cydymffurfiad, ond ni chafodd y thema ei datblygu. At ei gilydd, roedd yr ateb yn gymharol wan, heb unrhyw ymgais i flaenoriaethu na dod i gasgliad. Rhoddwyd marc Lefel Dau i'r ateb.

Eich tasg

Pa gyngor fyddech chi'n ei roi i Ymgeisydd A i wella ansawdd yr ateb a'i alluogi i dderbyn marc Lefel Pedwar?

Ymgeisydd B

Nodi pwysigrwydd cyflyraeth

(a) Roedd gan offeiriaid Jeswitaidd ddywediad cyffredin y byddai plentyn a gafodd ei fagu yn eu ffyrdd nhw yn perthyn iddynt am byth. Cyflyru ieuenctid oedd bwriad sawl ideoleg oedd am sicrhau a chynnal unbennaeth ac nid oedd daliadau Hitler a'r Natsïaid yn eithriad.

Dechrau trafod sut y defnyddiwyd addysg i gyflyru

Defnyddiodd Hitler a Goebbels bropaganda'n fedrus iawn ac addaswyd y system addysgol i ddatblygu nodau'r Natsïaid ymhellach. Prif nod Hitler oedd sicrhau Reich 1000 flwydd ac i wneud hyn roedd yn rhaid iddo feithrin ufudd-dod a pharch at awdurdod yn y genhedlaeth nesaf. Llenwyd ystafelloedd dosbarth â regalia Natsïaidd fel copi o Mein Kampf, swastikas a hyd yn oed darlun o Hitler.

Dechrau egluro ac ymhelaethu ar y cyfeiriad at gyflyru

Cafodd yr angen i ddatblygu'r Herrenvolk, yr hil oruchaf, ei bwysleisio drwy newidiadau'r Natsïaid i'r cwricwlwm. Dysgwyd damcaniaeth hil yn y gwersi bioleg er mwyn gwneud i blant gredu yn nhynged gogoneddus yr Almaen. Dysgwyd hanes o safbwynt y Natsïaid, a oedd yn pwysleisio nad oedd yr Almaen wedi'i threchu yn y Rhyfel Mawr, ond yn hytrach ei bod wedi'i bradychu gan Sosialwyr, Comiwnyddion ac Iddewon. Astudiwyd llenyddiaeth, celf a cherdd dim ond i fawrygu campau Almaenig pwysig yn y meysydd hynny.

Symud ymlaen i ddangos sut oedd ideoleg yn cael ei weithredu

Rhoddwyd pwyslais ychwanegol ar chwaraeon yn y system addysgol newydd, gan gymryd 15% o'r diwrnod ysgol. Roedd hyn yn adlewyrchu dymuniad Hitler i gael cenhedlaeth gref o fenywod Natsïaidd. Trwythwyd merched mewn sgiliau cadw cartref a gofal plant gan adlewyrchu awydd Hitler i godi'r gyfradd genedigaethau Ariaidd a'i gred mai prif waith menywod oedd magu'r genhedlaeth nesaf o ddynion. Gwaharddwyd plant Iddewig rhag mynychu ysgolion y wladwriaeth ac ymfudodd llawer o athrawon prifysgol Iddewig.

Arddangos cysylltiadau yn ôl i'r cwestiwn gyda chasgliad rhesymegol

O ganlyniad i'r polisïau addysgol newydd, gwelwyd safonau yn gostwng ond prin oedd hynny o ddiddordeb i'r Natsïaid. Gwelwyd ysgolion fel ffordd o drwytho'r ideoleg Natsïaidd yn y genhedlaeth nesaf, i greu teyrngarwch greddfol i Hitler a'r Almaen Natsïaidd, ufudd-dod digwestiwn a chred yng ngoruchafiaeth yr hil Ariaidd. Cydnabu Hitler unwaith fod llawer o ddinasyddion yn gwrthwynebu ei system a'r ideoleg Natsïaidd er gwaethaf ei bropaganda trwy reoli'r cyfryngau a ralïau torfol, ond ychwanegodd 'mae eu plant eisoes yn eiddo i ni'. Dyma flaenoriaeth fawr y wladwriaeth Natsïaidd i sicrhau ei goroesiad, a thrwy ei bolisïau addysgol newydd credai Hitler ei fod wedi esgor ar genhedlaeth nesaf yr hil oruchaf.

Sylwadau'r Arholwr

Ymgeisydd B

O'r paragraff agoriadol ymlaen, mae'r ymgeisydd wedi ymdrechu'n fwriadol i ganolbwyntio ar y cwestiwn ac wedi dadansoddi a thrafod y deunydd. Teimlai'r arholwr fod hwn yn ateb soffistigedig, a agorodd â chyflwyniad effeithiol a bwysleisiai bwysigrwydd cyflyru, sef un o flaenoriaethau allweddol y Natsïaid. Roedd yr ymgeisydd wedi ymdrin ag ystod dda o faterion, gan ganolbwyntio ar reoli'r cwricwlwm a rhoi enghreifftiau megis bioleg, hanes ac addysg gorfforol. Roedd hefyd wedi archwilio pwysigrwydd cyflyru, gan ddangos sut roedd y ddau beth yn ymblethu i'w gilydd. Roedd yr ateb wedi'i ddatblygu'n dda, roedd trywydd y ddadl yn gydlynol, ac roedd manylion ffeithiol perthnasol i gefnogi'r sylwadau'n llawn. Roedd y casgliad wedi'i resymu'n dda ac yn cyfeirio'n eglur at hanfod y cwestiwn. Rhoddwyd marc Lefel Pedwar uchel i'r ateb.

Atebion rhan (b):

Cyngor a chyd-destun ar ymatebion rhan (b):

Y geiriau gorchmynnol yn y cwestiwn yw '**I ba raddau** ...' sydd yn gofyn i'r ymgeisydd ddod i gasgliad a mesur i ba raddau yr oedd paratoi at ryfel yn dylanwadu ar bolisïau economaidd y Natsïaid rhwng 1933-39. Os yw'r ymgeisydd yn gwneud dim ond disgrifio polisïau economaidd ar ôl 1933, neu'n derbyn, heb roi sylw i ffactorau eraill, bod yr economi wedi'i gyfeirio at gynhyrchu ar gyfer rhyfel, yna ni fydd yn symud rhyw lawer i fyny'r cynllun marcio. Yr hyn sy'n ofynnol yw dadansoddiad o'r polisïau economaidd allweddol, gan archwilio'r hyn a oedd yn eu gyrru ymlaen. Bydd ymgeiswyr mwy hyfedr yn nodi newid o ran blaenoriaeth yn 1936 yn dilyn y ddadl 'Gynnau v Menyn', ac ymddiswyddiad dilynol Schacht oherwydd galw Hitler am gynhyrchu ar gyfer rhyfel yn hytrach na nwyddau traul. Arweiniodd hyn at Göring a'r fenter Cynllun Pedair Blynedd. Bydd yr ymgeiswyr gorau yn nodi'r cydgysylltiad rhwng rhai o'r blaenoriaethau hyn o fewn yr economi. I gyrraedd y lefelau uchaf bydd angen dadl, gan ystyried y dystiolaeth dros ac yn erbyn rhoi blaenoriaeth i gynhyrchu at ryfel, ynghyd â dyfarniad eglur mewn perthynas â'r cwestiwn ei hun.

Ymgeisydd A

(b) Ar ôl i Adolf Hitler a'r Natsïaid ddod i rym, roedd bron pob agwedd ar bolisïau economaidd yr Almaen wedi'i hanelu at ryfel. Cynyddwyd y fyddin, cynhyrchwyd tanciau ac arfau mewn project ailarfogi enfawr, rhoddwyd mentrau awtarchiaeth (Hunangynhaliaeth, y gallu i weithredu hyd yn oed yn ystod rhyfel) ar waith, a lluniwyd a gweithredwyd cynlluniau i gipio adnoddau angenrheidiol i ryfel.

Mae'r ddadl 'gynnau v menyn' yn rhoi arwydd clir o'r flaenoriaeth a roddwyd i baratoi ar gyfer rhyfel. Ar ôl argyfwng diweithdra a statws economaidd yr Almaen yn yr 1920au hwyr/1930au cynnar, roedd penderfyniad yn wynebu Hitler – a ddylai barhau â'r broses ailarfogi a rhoi holl adnoddau'r Almaen tuag at hynny (Gynnau), neu a ddylai arafu'r broses ailarfogi er mwyn caniatáu i'r economi sefydlogi a chynhyrchu nwyddau traul (Menyn) i'r boblogaeth Almaenig? Gwrthododd Hitler arafu'r broses ailarfogi, gan fynd yn groes i gyngor Hjalmar Schacht hyd yn oed, sef y Gweinidog Economaidd a Llywydd y Reichsbank, oedd yn golygu ei fod yn mynd i ganolbwyntio ar ynnau yn hytrach na menyn (rhoddwyd cyfyngiadau ar nwyddau traul gan nad oedd Hitler eisiau i'r wlad ddibynnu ar fewnforion tramor). Rhoddodd ryfel yn gyntaf a'i bobl yn ail.

Yn 1936 cyhoeddodd Hitler y Cynllun Pedair Blynedd. Roedd hwn yn cynnwys cynlluniau i gael y lluoedd arfog yn barod ar gyfer rhyfel o fewn 4 blynedd, a chael economi a fyddai'n gallu cynnal rhyfel o fewn 4 blynedd. Dyma'r arwydd cliriaf eto nad oedd Hitler yn mynd i adael i'r economi gyfnerthu fel y cynghorodd Schacht, ond ei fod yn mynd i barhau a hyd yn oed cyflymu'r broses ailarfogi. Ar ôl Cytundeb Versailles roedd y Fyddin Almaenig wedi'i lleihau i 100,000 o ddynion yn unig, ond erbyn yr 1930au hwyr roedd wedi tyfu i 1.4 miliwn. Wrth fynd yn groes i Gytundeb Versailles, roedd Hitler wedi dangos yn glir mai rhyfel oedd ei flaenoriaeth.

Yn ogystal â recriwtio milwyr, roedd y broses ailarfogi yn cynnwys cynhyrchu'r holl offer a fyddai'n angenrheidiol mewn rhyfel – arfau, tanciau, llongau tanfor, awyrennau. Gan ei bod yn dod allan o argyfwng economaidd (Cwymp Wall Street 1929, 6 miliwn yn ddi-waith yn 1933), ni allai'r Almaen fforddio talu am y rhain, felly roedd yn rhaid dibynnu ar Schacht i ganfod ateb. Gwnaeth hynny drwy gyflwyno Biliau Mefo, sef math o ddylednodau (I.O.U.) a roddwyd i gwmnïau a diwydiannau mawr a oedd yn cynhyrchu deunyddiau rhyfel, yn dweud y byddai'r llywodraeth yn eu talu pan fyddai'n gallu fforddio hynny. Roedd hyn hefyd yn golygu bod modd cadw swm yr arian a wariwyd ar ailarfogi yn gyfrinach fel na fyddai gwledydd tramor yn ymyrryd.

Mae'n debyg mai'r polisi economaidd Almaenig mwyaf a oedd yn dangos y flaenoriaeth a roddwyd i ryfel oedd y cynllun awtarchiaeth. Yn ystod rhyfel, ni fyddai'r Almaen yn gallu ymdopi pe byddai'n dibynnu gormod ar fewnforion tramor, felly roedd Hitler eisiau i'r wlad ddod yn hunangynhaliol. Roedd hyn yn golygu gwario symiau enfawr o arian ar ddatblygu olew a rwber synthetig, a chloddio mwyn haearn Almaenig, er ei fod o ansawdd gwael. Roedd y rhan fwyaf o gyllid yr Almaen wedi'i anelu at hyn, yn lle bod o fudd uniongyrchol i'r boblogaeth gyffredinol.

Ar ôl i Adolf Hitler a'r Natsïaid ddod i rym yn yr Almaen yn 1933, byddai wedi gwneud synnwyr iddynt gyfnerthu a sicrhau eu heconomi cyn ymgymryd â phrojectau enfawr drud. Ond blaenoriaeth Hitler oedd paratoi'r Almaen ar gyfer rhyfel. Os oedd hyn yn golygu gwario milynau o farciau ar gryfhau'r fyddin a chynhyrchu defnyddiau synthetig yn lle gadael i'r cyhoedd Almaenig fwynhau nwyddau traul syml, yna bydded felly.

Sylwadau'r Arholwr

Daeth yr arholwr i'r casgliad bod y ffocws ar y cwestiwn yn gyffredinol dda a bod yna fanylion ffeithiol perthnasol i gefnogi'r ateb, gan arddangos dealltwriaeth resymol o'r testun. Fodd bynnag, roedd peth anghydbwysedd yn yr ateb am ei fod yn ymdrin ag ochr 'gadarnhaol' y cwestiwn yn unig, gan ganolbwyntio ar sut roedd yr economi yn paratoi ar gyfer rhyfel. Nid oedd unrhyw ddadl groes a fyddai wedi codi'r ateb i frig Lefel Tri neu i Lefel Pedwar. Am y rheswm hwn, teimlwyd bod yr ystod yn gyfyng, gyda'r cyflwyniad a'r casgliad yn sôn am sut roedd yr economi yn paratoi at ryfel yn unig. Mae angen mwy o ddadl ac ystyriaeth ddyfnach o ddilema'r ddadl 'Gynnau v Menyn'. Am y rhesymau hyn rhoddwyd marc Lefel Tri canolog i'r ateb.

Ymgeisydd B

(b) Bwriad polisïau economaidd y Natsïaid oedd paratoi ar gyfer rhyfel, a fyddai'n anochel wrth ennill lle i fyw yn y dwyrain a threchu'r Undeb Sofietaidd Comiwnyddol. Fodd bynnag, roedd yn rhaid i'r polisïau economaidd hefyd helpu'r grwpiau yng nghymdeithas yr Almaen a oedd yn bwysig i ideoleg Natsïaidd, fel y werin a'r Mittlestand.

Roedd paratoi ar gyfer rhyfel yn fater hollbwysig a oedd yn dylanwadu'n gryf ar y mwyafrif o bolisïau economaidd Natsïaidd. Cododd y ddadl gynnau v menyn gan fod angen i'r wlad gynyddu ailarfogi ar gyfer rhyfel, fodd bynnag, roedd prinder nwyddau llaeth ac roedd galw am nwyddau traul. Cyflwynwyd y Cynllun Pedair Blynedd i baratoi'r economi ar gyfer rhyfel posibl a gweithio at nod y Natsïaid o awtarchiaeth. Fodd bynnag, roedd Hitler yn ymwybodol bod ei ddyrchafiad i bŵer wedi digwydd yn rhannol oherwydd awydd y boblogaeth am welliannau i'w safonau byw ac felly ni fyddai modd canolbwyntio'n llwyr ar gynhyrchu arfau rhyfel gan fod yn rhaid cynhyrchu nwyddau traul hefyd i fodloni'r boblogaeth. Defnyddiwyd Cynllun Newydd Schacht a biliau Mefo hefyd ar y ffordd i economi rhyfel yn ogystal â cheisio sefydlogi diffyg y fantol daliadau.

Roedd creu swyddi hefyd yn flaenoriaeth i'r gyfundrefn Natsïaidd gan mai dyma oedd sail y broses a gipiodd bŵer iddynt. Roeddynt yn buddsoddi mewn busnesau i greu swyddi ac adeiladu'r autobahns fel modd o greu swyddi, gwnaed hyn gyda dulliau llafur-ddwys ac er bod llawer o swyddi wedi'u creu, nid oedd hwn yn ddull effeithlon. Roedd creu'r swyddi yn helpu'r paratoi ar gyfer rhyfel gan fod llawer o'r swyddi a grewyd mewn ffatrïoedd arfau rhyfel, ac roedd consgripsiwn i'r fyddin hefyd yn lleihau diweithdra ac yn cynyddu maint y fyddin.

Gwelwyd y werin fel asgwrn cefn y gymdeithas Natsïaidd a gweithredodd y Natsïaid bolisi o 'Waed a Phridd'. Roedd hyn yn cynnwys polisïau economaidd a oedd i godi statws economaidd y werin a gwella eu hamodau gwaith a byw. Roedd Stad Fwyd y Reich yn gosod cyflogau, cwotâu cynhyrchu a chylchdro cnydau mewn ymgais i ddenu'r boblogaeth nôl i gefn gwlad. Roedd Deddf Enteilio Fferm y Reich yn golygu na ellid rannu ffermydd o tua 30 acer yn rannau llai, gan fod yn rhaid i'r mab hynaf eu hetifeddu. Fodd bynnag, cafodd y werin ei siomi gan ymyriad y llywodraeth Natsïaidd oherwydd erbyn 1939 roedd prinder llafur, a gostyngiad o 20% mewn cynhyrchedd, roedd safonau byw y werin yn is a'u statws economaidd wedi dirywio.

Y Mittlestand oedd cefnogwyr mwyaf teyrngar y Natsïaid a rhoddwyd help iddynt gan y llywodraeth i oroesi yn erbyn bygythiad siopau adrannol. Rhoddwyd triniaeth flaenoriaethol iddynt gan asiantaethau gwladol, cyfyngwyd ar gystadleuaeth a gwaharddwyd sefydlu unrhyw siopau adrannol newydd o 1933 ymlaen. Fodd bynnag, roedd ideoleg Natsïaidd yn gwrthdaro â'u hamcanion gan fod busnesau mawr yn fwy effeithlon wrth baratoi ar gyfer rhyfel a'u bod yn gallu buddsoddi mwy mewn ymchwil a datblygiad. Collodd y Natsïaid ddiddordeb yn y Mittlestand o blaid busnesau mawr ac, o ganlyniad, cafodd y Mittlestand eu dal rhwng prisiau wedi'u rhewi yn y siopau a phrisiau mwy cystadleuol Stad Fwyd y Reich.

I grynhoi, roedd ideoleg y Natsïaid a'u hamcanion yn gwrthdaro: rhoddodd y gyfundrefn flaenoriaethau uchel i grwpiau yr oeddynt yn eu ffafrio'n ideolegol fel y werin a'r Mittlestand; fodd bynnag, realiti eu hamcanion a enillodd. Rhoddwyd y prif flaenoriaeth i baratoi at ryfel. Yn y pen draw, roedd y Natsïaid yn fodlon aberthu eu cefnogwyr teyrngar o blaid busnesau mawr. Roedd eu polisi o greu swyddi i'r 6 miliwn a oedd yn ddi-waith ar ddechrau eu teyrnasiad yn bwysig iawn, ac fe gyfrannodd at yr economi tra'n paratoi at ryfel, er gwaethaf aneffeithlonrwydd swyddi llafur-ddwys.

Sylwadau'r arholwr

Teimlai'r arholwr nad oedd yr ymgeisydd wedi datblygu ei ateb yn ddigon dwfn, bod ffocws yr ymholiad yn rhy gul a bod diffyg dyfnder o ran dadansoddi a gwerthuso. Roedd tueddiad i'r ymgeisydd 'adrodd y stori' mewn mannau, gan ganolbwyntio'n ormodol ar y naratif. Er bod cyfeiriad at 'Gynnau v Menyn' ni thrafodwyd y mater yn fanwl a phrin oedd y cyfeiriadau at bolisïau Schacht yn y cyfnod 1933-36 neu Gynllun Pedair Blynedd Göring ar ôl y dyddiad hwn. Er bod ymgais i ddod i gasgliad, roedd y dadansoddiad yn arwynebol. Am y rheswm hwn, rhoddwyd marc Lefel Tri isel i'r ateb.

Eich tasg

Esboniwch pam y methodd y ddau ymgeisydd â chyrraedd Lefel Pedwar yn y cynllun marcio. Beth oedd ar goll o'u hatebion?

Enghreifftiau o ymatebion i'r cwestiwn traethawd penagored

Cwestiwn: I ba raddau roedd goresgyniad Gwlad Belg gan yr Almaen yn 1914 yn bennaf gyfrifol am ran Prydain yn y Rhyfel Byd Cyntaf?

Cyngor a chyd-destun

Beth mae'r arholwr yn chwilio amdano?

Y geiriau gorchmynnol allweddol yw '**I ba raddau** ...' a byddai disgwyl i chi werthuso pwysigrwydd y ffactor a roddwyd yn erbyn amryw o ffactorau eraill. Yn yr achos hwn, mae'r cwestiwn yn enwi ymyriad yr Almaen â niwtraliaeth Gwlad Belg fel y prif reswm dros benderfyniad Prydain i ymuno â'r rhyfel. Byddai disgwyl i chi werthuso pa mor bwysig oedd yr addewid a wnaed gan Brydain yn 1839 i amddiffyn niwtraliaeth Gwlad Belg yn ei phenderfyniad i fynd i ryfel yn 1914. Wedyn byddai angen pwyso a mesur y ffactor hwn ynghyd ag amryw o ffactorau eraill fel:

- Prydain yn nesáu'n gynyddol at Rwsia a Ffrainc;
- Ei gelyniaeth llyngesol a threfedigaethol at yr Almaen;
- Ei chysylltiadau milwrol a llyngesol â Ffrainc;
- Pryderon Prydain ynglŷn â'r Cydbwysedd Grym;
- Amwysedd polisi tramor Syr Edward Grey.

Gellid archwilio argyfyngau penodol 1906, 1911, ac 1912/13 i roi cyd-destun.

I gyrraedd Lefel Pedwar, y lefel uchaf yn y cynllun marcio, bydd angen mynd i'r afael â'r ateb mewn dull arfarnol cyson gan ddefnyddio dadl resymegol sy'n canolbwyntio'n uniongyrchol ar y cwestiwn. Yn y cyflwyniad, byddwch wedi enwi'r ystod o ffactorau a gaiff eu hystyried yn y traethawd a bydd y rhain wedi eu trefnu yn ôl eu pwysigrwydd yn y casgliad. Bydd y casgliad terfynol yn nodi ai'r ymosodiad ar Wlad Belg oedd y prif reswm pam yr ymunodd Prydain â'r rhyfel.

Ymgeisydd C

Roedd goresgyniad Gwlad Belg gan yr Almaen yn 1914 yn ffactor pwysig ym mhenderfyniad Prydain i ymuno â'r Rhyfel Byd Cyntaf.

Gellir cwestiynu ai dyma'r prif reswm. Roedd Prydain yn rhan o Entente gyda Ffrainc ac er nad oedd hyn yn ymrwymo Prydain i amddiffyn Ffrainc, credai Ffrainc y byddai Prydain yn estyn cymorth iddi yn achos rhyfel. Roedd cysylltiad pellach hefyd rhwng Prydain a Ffrainc ar ffurf cytundeb llyngesol cyfrinachol, ac er nad oedd hwn chwaith yn ymrwymiad cadarn, rhoddodd le i Ffrainc gredu y byddai Prydain yn ei chefnogi.

Heb os, roedd y ras lyngesol gyda'r Almaen yn ffactor arall. Prydain oedd â'r llynges orau ers cyn cof, ac er gwaethaf gwrthwynebiad gwleidyddion Prydeinig eraill, roeddynt wedi adeiladu 'Arch' long o'r enw Dreadnought i barhau'r oruchafiaeth. Fodd bynnag, ymatebodd yr Almaen gan adeiladu llynges fwy a mwy o longau 'Dreadnought'. Roedd Prydain yn gweld hyn fel bygythiad uniongyrchol gan nad oedd angen llynges ar yr Almaen i oresgyn unrhyw wlad Ewropeaidd arall. Ar ddechrau'r 1900au, credai Prydain mai'r Almaen oedd y wlad fwyaf tebygol i lunio cynghrair naturiol â hi. O ganlyniad, daeth ymddygiad ymosodol cynyddol yr Almaen fel sioc i Brydain, a geisiodd yn ddi-baid hyd 1914 i ffurfio cytundeb gwleidyddol gyda'r Almaen a allai rwystro rhyfel.

Drwy gydol yr holl gyfnod polisi tramor hwn, roedd Prydain wedi ceisio cynnal y Cydbwysedd Grym, dyma reswm sylfaenol wrth wraidd ei phenderfyniad i gefnogi Ffrainc. Roedd Gwlad Belg yn wlad fach a oedd i fod i barhau'n niwtral ar bob cyfrif. Pan dorrodd yr Almaen y rheol hon fe wthiodd Prydain i ryfel, ond nid dyna'r ffactor mwyaf. Y rheswm a roddodd Salisbury am y rhyfel oedd bod Prydain yn teimlo nad oedd ganddi ddewis. Roedd hi angen cynnal perthynas dda gyda Ffrainc a Rwsia ac roedd hi eisiau cynnal y Cydbwysedd Grym. Nid oedd modd caniatáu ymlediad yr Almaen.

Yn ystod yr argyfwng ym Morocco, roedd yr Almaen wedi achosi trwbl i Brydain, ar ôl hynny cytunodd hi a Ffrainc ar gynghrair dros Morocco. Ceisiodd yr Almaen ei chwalu trwy ddweud wrth Sultan Morocco y byddai'r Almaen yn cefnogi ei hannibyniaeth. Er i hyn wthio Prydain a Ffrainc yn nes at ei gilydd yn y pen draw, dyma'r eildro i'r Almaen groesi buddiannau Prydain. Roedd wedi digwydd am y tro cyntaf yn ystod Rhyfel y Boer sef, yn fwy penodol, Telegram Kruger. Roedd Prydain wedi gwahodd yr Almaen i'w gwylio'n ymladd yn erbyn y Boers. Gwelodd yr Almaen sgiliau rhyfelwyr y Boer a chynigiodd ei gwasanaeth iddynt. Roedd y ddau achos hwn yn ffactorau mân ym mhenderfyniad Prydain i ryfela, ond roeddynt wedi cyfrannu at newid teimladau Prydain tuag at yr Almaen.

Ar ôl i Brydain ddod allan o'r Arwahanrwydd Gogoneddus a dechrau cynghreirio a sicrhau ententes â Ffrainc a Rwsia, teimlai'r Almaen fel petai wedi'i dal a tharodd yn ôl, ac mewn ymgais i osgoi gwrthdaro ceisiodd Prydain ddod i gytundeb gyda'r Almaen. Y cyfan roedd hi eisiau i Brydain wneud oedd ymuno â hi. Fodd bynnag, gallai Prydain weld y byddai'r Almaen yn colli ac ni allai fforddio ei chefnogi a mentro colli ei pherthynas dda gydag Ewrop a chael ei gwthio nôl i arwahanrwydd unwaith eto.

I grynhoi, roedd gan Brydain nifer o resymau o bwys dros ei rhan yn y Rhyfel Byd Cyntaf. Goresgyniad Gwlad Belg gan yr Almaen oedd y gwthiad oedd angen arni i wneud y penderfyniad terfynol tyngedfennol. Ofn arwahanrwydd, yr addewid dilafar i Ffrainc ac ofn bygythiad yr Almaen yn erbyn y Cydbwysedd Grym a hybodd ymgyrch Prydain i fynd i ryfel.

Sylwadau'r Arholwr

Mewn gwirionedd, nid aeth yr ymgeisydd i'r afael mewn unrhyw fanylder â'r prif fater, sef ymyriad yr Almaen â niwtraliaeth Gwlad Belg. Cyfeiriwyd at nifer o ffactorau eraill ond ni werthuswyd na thrafodwyd y rhain chwaith mewn llawer o fanylder. Roedd manylion ffeithiol yn fratiog, gyda rhai anghywirdebau hanesyddol mewn mannau. Roedd y cyflwyniad a'r casgliad yn wan ac ychydig o ymgais a wnaed i gysylltu paragraffau neu i gydlynnu'r ddadl. Ystyriwyd bod strwythur y traethawd yn anghytbwys, a rhoddwyd marc ar frig Lefel Dau i'r ateb.

Ymgeisydd Ch
Roedd goresgyniad Gwlad Belg gan yr Almaen yn 1914 yn rhannol gyfrifol am y rhan a chwaraeodd Prydain yn y Rhyfel Byd Cyntaf oherwydd mae modd ystyried bod hyn wedi torri Cytundeb Llundain 1839, gan felly beryglu a pheidio â pharchu annibyniaeth a niwtraliaeth Gwlad Belg. Fodd bynnag, mae'n fwy tebygol mai'r digwyddiad hwn oedd y digwyddiad terfynol a daniodd ryfel ar ôl i'r berthynas rhwng Prydain a'r Almaen ddirywio dros gyfnod maith.

Cyn 1900, roedd cynghrair rhwng Prydain a'r Almaen yn y dyfodol yn edrych yn bosibilrwydd go iawn, gyda gweinidogion Prydeinig yn disgrifio'r Almaen fel 'cynghreiriad naturiol' oherwydd tebygrwydd diwylliannol ac economaidd. Fodd bynnag, yn rhan olaf y bedwaredd ganrif ar bymtheg, dechreuodd y berthynas rhwng Prydain a'r Almaen ddirywio gyda'r gwrthdaro dros Delegram Kruger yn 1896. Roedd Cyrch Jameson a'r Vitlanders yn 1895, yn ymgais i ennill mwy o hawliau gwleidyddol i'r Vitlanders, ac fe'i trechwyd gan filwyr Boer; arweiniodd hyn at Delegram Kruger 1896 gyda'r Kaiser yn llongyfarch Kruger am atal y gwrthryfel. Roedd y gweinidogion Prydeinig wedi eu cythruddo gan yr ymosodiad direswm hwn gan yr Almaen a'u cefnogaeth i'r Boers. Dyma oedd dechrau'r dirywiad yn y berthynas rhwng Prydain a'r Almaen a gyrhaeddodd ei benllanw gyda'r disgwyliad am ryfel â'r Almaen. Credai hyd yn oed Grey fod rhyfel yn anochel.

Roedd y Ras Arfau a ddechreuodd pan adeiladodd Prydain y Dreadnought cyntaf yn 1906 yn gyfrifol am suro'r berthynas gyda'r Almaen ymhellach; credwyd bod llynges Prydain yn hanfodol i amddiffyn Prydain, ond nad oedd llynges yn hanfodol i'r Almaen, ac yn fawr mwy nag arddangosiad o gyfoeth a grym. Gwrthododd yr Almaen yn ffyrnig 'Yr Osteg Lyngesol' a gynigiwyd gan Brydain yn 1913, gan suro'r berthynas ymhellach.

Ar ben hyn, ystyriwyd yr Entente Ffrengig yn rhywbeth gwrth-Almaenig oherwydd nad oedd bygythiad gweladwy o'r Ffrancwyr. Roedd yr amodau a drafodwyd yn cynnig y byddai'r llynges Ffrengig yn helpu patrolio'r dyfroedd yr oedd Prydain eisoes yn eu patrolio, gan leihau'r pwysau ar lynges Prydain. Roedd hyn yn caniatáu i Brydain leoli ei llynges mewn dyfroedd cartref yn unig (e.e. y Sianel), a awgrymai ei bod yn gweld bygythiad o'r Almaen. (Roedd llynges Prydain eisoes wedi manteisio ar Gytundeb Eingl-Japaneaidd 1910 i leihau rhyw ychydig ar ei gorchwyl drom).

Daeth yr Entente â Phrydain a Ffrainc yn agosach ac arweiniodd at drafodaethau milwrol â gelyn tybiedig, yr Almaen. Dangosodd hyn y graddau y credwyd bod bygythiad o'r Almaen a rhyfel yn debygol neu'n anochel.

Ystyriwyd araith Mansion House Lloyd George yn 1911 yn wrth-Almaenig gan iddi roi'r argraff y byddai Prydain yn cefnogi Ffrainc pe byddai rhyfel yn torri allan. Gyda chysylltiadau Eingl-Almaenig yn dirywio, teimlai Prydain fod rhyfel yn anochel, a dangosodd canlyniadau seicolegol fod y bobl yn ysu am ryfel ar ôl cyfnod hir o heddwch mewn gwlad.

Tystiodd Entente Eingl-Rwsiaidd 1907 fod Ffrainc, Rwsia a Phrydain yn ymgasglu mewn Entente triphlyg gan amddifadu Rwsia o gynghreiriad posibl. Bu hyn hefyd yn gyfrifol am rannu Ewrop yn ddwy, gyda'r Gynghrair Driphlyg a'r Entente Triphlyg.

Mae hefyd yn bosibl dadlau bod Prydain wedi ymuno â'r rhyfel er mwyn aros yn deyrngar i'r Entente Ffrengig. Roedd Prydain newydd symud allan o gyfnod o arwahanrwydd cyn 1900 ac felly, pe byddai'n methu cefnogi'r Ffrancwyr a oedd yn wynebu bygythiad o gyfeiriad yr Almaen, yna byddai'n cael ei hystyried yn annibynadwy ac ni fyddai cenhedloedd yn ymddiried ynddi ar gyfer cynghreiriau yn y dyfodol.

Rhoddodd polisi tramor Prydain hefyd reswm i Brydain ymuno â'r Rhyfel Byd Cyntaf. Roedd y 'Cydbwysedd Grym' yn ffactor allweddol yn y modd yr ystyriai Prydain y pwerau Ewropeaidd, ac wrth i'r Almaen ddod yn gynyddol flaenllaw ym materion Ewropeaidd, teimlai bod yn rhaid ei thawelu. Roedd dulliau diplomyddol o wneud hyn wedi methu a olygai mai rhyfel oedd yr unig beth amdani, ac roedd Prydain yn bwriadu mynd i ryfel os oedd hynny'n golygu bod modd adfer y 'Cydbwysedd Grym'.

Felly, goresgyniad Gwlad Belg gan yr Almaen yn 1914 oedd y digwyddiad terfynol a gyfrannodd at lu o ddigwyddiadau rhwng Prydain a'r Almaen a arweiniodd at y Rhyfel Byd Cyntaf. Fodd bynnag, roedd rhesymau eraill yr un mor bwysig dros ymuno â'r Rhyfel Byd Cyntaf sef glynu wrth y polisi tramor Prydeinig traddodiadol o 'Gydbwysedd Grym', y dirywiad yn y berthynas rhwng Prydain a'r Almaen, a'r Ras Lyngesol nad oedd gan yr Almaen unrhyw fwriad o roi'r gorau iddi, ac y gellid ei dehongli fel paratoad ar gyfer rhyfel yn erbyn Prydain. Yn sicr, nid oedd yr Almaen, gyda gwledydd tir yn ei hamgylchynu, yn paratoi ar gyfer rhyfel tir trwy adeiladu Dreadnoughts, felly daw'r unig fygythiad real o'r môr, h.y. paratoi at ryfel yn erbyn Prydain. Yn olaf, roedd yn rhaid i Brydain barhau'n ffyddlon i'r Entente â Ffrainc, ac o wybod y byddai Ffrainc a Rwsia yn ei chefnogi (yn sgil yr Entente Triphlyg), gallai fynd i ryfel yn hyderus na fyddai'n rhaid iddi 'fod ar ei phen ei hun'.

Sylwadau'r Arholwr

Mae'r ymgeisydd wedi ystyried y prif fater – ymrwymiad Prydain i amddiffyn niwtraliaeth Gwald Belg – a gwerthuso ei bwysigrwydd ym mhenderfyniad Prydain i fynd i ryfel ynghyd ag ystod o ffactorau eraill. Mae'r ymgeisydd wedi dangos bod ganddo dipyn o wybodaeth a dealltwriaeth o'r testun ac wedi llunio dadl resymegol gyda chefnogaeth ddilys. Roedd cysylltiadau rheolaidd yn ôl i'r cwestiwn, gyda chasgliadau yn cael eu llunio ar bwysigrwydd cymharol y ffactorau a ddylanwadodd ar benderfyniad Prydain. Roedd yna gysylltiadau rhwng y paragraffau hefyd gan ddangos cysondeb yn y ddadl. Teimlai'r arholwr fod y traethawd ychydig yn brin o gyfeiriadau at rôl Syr Edward Grey a chysyniad y 'Cydbwysedd Grym', a dyna sy'n cyfrif am y marc ar waelod Lefel Pedwar.

Eich tasg

Gan edrych trwy draethodau Ymgeisydd C ac Ymgeisydd Ch yn eu tro, ystyriwch y canlynol:

1. Nodwch y rhan o'r traethawd sy'n ymdrin â niwtraliaeth Gwlad Belg.
2. Pa ffactorau eraill y mae'r ymgeisydd yn eu hystyried?
3. Astudiwch y cyflwyniad a'r casgliad. Ydyn nhw'n rhesymegol? A yw'r cyflwyniad yn gosod y sefyllfa a'r casgliad yn crynhoi'r ddadl ac yn dod i gasgliad?
4. Tanlinellwch y brawddegau sy'n cysylltu â'r cwestiwn.
5. Sut mae'r ddau draethawd yn wahanol i'w gilydd o ran arddull a thechneg ysgrifennu? Ydyn nhw wedi ceisio ystyried y mater allweddol – I ba raddau ...?
6. Ydych chi'n meddwl bod yr arholwr wedi bod yn deg wrth ddyfarnu'r marciau?

CRYNODEB O BENNOD DAU

Ar ôl astudio Pennod Dau, dylai fod gennych well dealltwriaeth o:

- Wahanol arddulliau y cwestiynau traethawd a ofynnir yn Safon UG ac U;
- Pwysigrwydd a phwrpas geiriau gorchmynnol yn y cwestiwn traethawd;
- Sut i strwythuro eich traethawd wrth ymateb i'r geiriau gorchmynnol hyn;
- Sut y caiff eich traethawd ei farcio a beth fydd yr arholwr yn edrych amdano mewn traethawd da;
- Cynllun marcio lefel ymateb a beth y mae'n rhaid i chi ei wneud i gyrraedd y lefel ymateb uchaf.

Dylech hefyd fod:

- Ag enghreifftiau o ymatebion ymgeiswyr wedi'u marcio, ac yn deall pam y rhoddwyd iddynt y marciau hyn, gan nodi eu cryfderau a'u gwendidau;
- Wedi derbyn cyngor a chanllawiau ar sut i ysgrifennu traethodau da.

Eich tasg nawr yw gwneud yn fawr o'r sylwadau hyn ac ysgrifennu traethodau o'r safon uchaf eich hunan.

PENNOD TRI

ARDDANGOS SGILIAU'R HANESYDD

Dadansoddi a gwerthuso ffynonellau hanesyddol

Mae haneswyr yn gweithredu fel ditectifs. Maent yn chwilio am gliwiau neu dystiolaeth a adawyd o'r gorffennol. Mae'n rhaid iddynt ddehongli'r dystiolaeth y maent yn ei darganfod a dod i ddyfarniad rhesymegol o ran ei pherthnasedd a'i dibynadwyedd.

Daw'r mwyafrif o'r dystiolaeth sydd ar gael i haneswyr ar ffurf ffynonellau ysgrifenedig. Mae'n rhaid i'r ffynonellau hyn fynd drwy broses ddadansoddi a gwerthuso drylwyr os am gadarnhau eu gwir werth.

Mae gwerthuso deunyddiau ffynhonnell yn rhan hanfodol o astudio Hanes ac mae meithrin y sgiliau angenrheidiol i wneud hyn yn rhan allweddol o'r cyrsiau Safon UG ac U.

Fel rhan o ymholiad hanesyddol, mae Amcan Asesu 2(a) yn mynnu bod ymgeiswyr Safon UG ac U yn arddangos y sgìl o:

'ddadansoddi a gwerthuso ystod o ffynonellau addas â dirnadaeth.'

Byddwch wedi ymdrin â ffynonellau yn TGAU ond mae disgwyl i chi nawr eu harchwilio mewn modd mwy soffistigedig, gan arddangos lefel uwch o ddadansoddi a gwerthuso. Mae'r arholwr yn ceisio canfod pa mor dda y gallwch ymdrin â thystiolaeth ddethol, ei pherthnasu â'r hyn rydych yn ei wybod am y cyfnod dan sylw, a gwneud dyfarniad rhesymegol am ei defnyddioldeb, cywirdeb a dibynadwyedd fel darn o dystiolaeth hanesyddol.

Wrth ddadansoddi a gwerthuso darn o dystiolaeth, disgwylir i chi gyflawni ystod o dasgau penodol, gan arddangos eich gallu i:

- **Ddeall cynnwys** y ffynhonnell;
- Rhoi'r ffynhonnell yn ei **chyd-destun hanesyddol,** a'i perthnasu â'r **darlun ehangach**;
- Gwneud **dyfarniad** ynghylch **dilysrwydd** y ffynhonnell;
- Gwneud **dyfarniad** ynghylch **defnyddioldeb** y ffynhonnell;
- Gwneud **dyfarniad** ynghylch **dibynadwyedd** y ffynhonnell;
- **Cymharu a chyferbynnu** ffynonellau;
- **Ystyried gwahanol ddehongliadau** wrth gymharu ffynonellau, ac awgrymu **pam y mae'r safbwyntiau o bosibl yn wahanol;**
- Rhoi sylwadau ar y modd y **cyrhaeddodd yr awdur y dyfarniad hwn**.

Mae gwahanol fathau o ffynonellau ar gael i'r hanesydd

(a) Ffynonellau ysgrifenedig

Mae ffynonellau ysgrifenedig yn niferus ac yn amrywiol, a gallant gynnwys eitemau fel llythyr, dyddiadur, cofiant, hunangofiant, araith, papur newydd ac ysgrifau haneswyr.

Gellir rhannu'r holl ffynonellau ysgrifenedig yn ddau grŵp – tystiolaeth sy'n dod o'r cyfnod yr ydych yn ei astudio a thystiolaeth a gynhyrchwyd ar ôl i'r digwyddiadau hyn ddigwydd. Mae haneswyr yn draddodiadol yn cyfeirio at dystiolaeth a ddaw o'r un cyfnod â'r digwyddiad dan sylw fel **tystiolaeth gyfoes**, tra bo popeth sydd wedi cael ei ysgrifennu yn ddiweddarach yn cael ei ystyried yn **dystiolaeth fyfyriol** a gyfansoddwyd gyda chymorth ôl-welediad. Yn aml rhoddir y labeli tystiolaeth **gynradd** ac **eilaidd** i'r mathau gwahanol hyn o dystiolaeth, er y gall y labeli hyn fod yn gamarweiniol ar brydiau gan arwain at broblemau dehongli.

Y GWAHANIAETH RHWNG ADRODDIADAU CYFOES A MYFYRIOL

Safbwyntiau cyfoes **[E.e. Adroddiadau llygad-dyst]**	**Adroddiadau a ysgrifennwyd gyda chymorth myfyrdod ac ôl-welediad** **[E.e. Adroddiadau a gynhyrchwyd gan haneswyr]**
• Tystiolaeth gyfoes yw deunydd crai'r hanesydd; • Mae'n dystiolaeth a gynhyrchwyd ar yr adeg y digwyddodd y digwyddiadau yn y ffynhonnell; • Gallai tystiolaeth gyfoes fod yn olion ffisegol o'r gorffennol fel adfeilion, crochenwaith ac arfau, neu yn ddisgrifiadau llygad-dyst o'r hyn a ddigwyddodd fel deunydd ysgrifenedig a gweledol. *Enghraifft o dystiolaeth gyfoes:* *Dyddiadur Anne Frank*	• Mae'n dystiolaeth nad yw'n dod o'r cyfnod sy'n cael ei astudio, ond o gyfnod diweddarach; • Fel rheol, mae'n waith haneswyr sydd wedi ysgrifennu am y gorffennol; • Dehongliad ydyw o'r digwyddiadau yn seiliedig ar eu dadansoddiad hwy o'r ffynonellau a astudiwyd ganddynt; • Mae'r myfyrdodau hyn yn darparu dehongliadau o ffynonellau cyfoes. *Enghraifft o dystiolaeth fyfyriol:* *Llyfr am yr Holocost*

Pan fydd haneswyr yn ysgrifennu am y gorffennol, maent yn defnyddio cyfuniad o ffynonellau cyfoes a myfyrdodau diweddarach i lunio eu dehongliadau o ddigwyddiadau. Mae cofiant William Pitt the Younger, y Prif Weinidog o'r ddeunawfed ganrif a ysgrifennwyd gan William Hague, yn astudiaeth gan hanesydd modern oherwydd fe'i cyhoeddwyd yn 2004 ac mae'n safbwynt a luniwyd gyda chymorth ôl-welediad. Nid oedd Hague yn fyw adeg bywyd William Pitt ac mae'n ysgrifennu dros ddwy ganrif ar ôl ei farwolaeth. Fodd bynnag, ni allai Hague fod wedi ysgrifennu ei astudiaeth fanwl heb ymgynghori ag ystod o dystiolaeth gyfoes megis trawsysgrifau areithiau Pitt yn Nhŷ'r Cyffredin, gohebiaeth rhwng Pitt a'i gyfoeswyr, dyfyniadau o ddyddiaduron a llyfrau cyd-Aelodau Seneddol, cofiannau'r sawl oedd yn adnabod Pitt, ynghyd ag adroddiadau o bapurau newydd y cyfnod. Byddai Hague wedi dyfynnu peth o'r deunydd cyfoes hwn yn y cofiant, ac wedi ychwanegu ei sylwebaeth a'i fyfyrdod personol ato.

Enghraifft o sut y mae haneswyr yn dehongli a chofnodi'r gorffennol: cyfieithiad o ddyfyniad a gymerwyd o gofiant William Pitt gan William Hague.

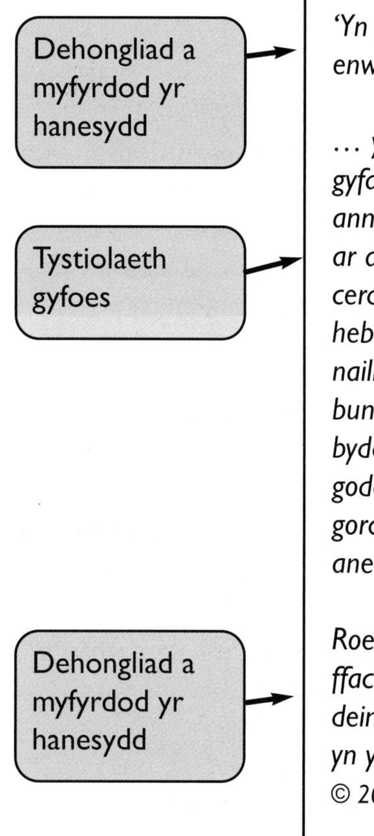

'Yn fuan ar ôl i Pitt ddod yn Brif Weinidog, ysgrifennodd Wraxall ei ddisgrifiad enwog o'i arddull personol:

... yn ei ymarweddiad, os nad yn atgas, roedd Pitt yn oeraidd, yn anhyblyg a heb gyfaredd na dymunoldeb. Ni ymddangosai fyth ei fod yn gwahodd cwmni neu'n annog cyfeillgarwch, er y gallai, o gael ei gyfarch, fod yn gwrtais, yn gyfathrebol ac ar adegau yn foneddigaidd ... O'r ennyd y troediodd Pitt dros riniog Tŷ'r Cyffredin, cerddai hyd y llawr â cherddediad sydyn a chadarn, ei ben yn uchel a thalsyth, heb edrych i'r dde nac i'r aswy, heb ffafrio unrhyw un o'r unigolion a eisteddai o'r naill du iddo ag amnaid neu gipolwg, a nifer o'r rheiny yn berchen ar bum mil o bunnoedd y flwyddyn ac a fyddai wedi bodloni ar gael y sylw lleiaf. Nid felly y byddai'r Arglwyddi North a Fox yn trin y Senedd, ac yn wir ni fyddai'r Senedd wedi goddef hynny ganddynt; ond ymddangosai fel petai Pitt wedi ei eni i arwain a gorchymyn, yn fwy hyd yn oed nag i berswadio neu argyhoeddi, y gynulleidfa a anerchai.

Roedd ei hunan-hyder deallusol anferthol wedi'i gyfuno ag ail ffactor: y disgwyliad y byddai ei awr yn dod. Yn rhannol, dyma deimlad naturiol gŵr ifanc a oedd wedi cael llwyddiant rhyfeddol yn y byd gwleidyddol ar oedran ifanc.'

© 2004, William Hague

Portread cyfoes o Pitt

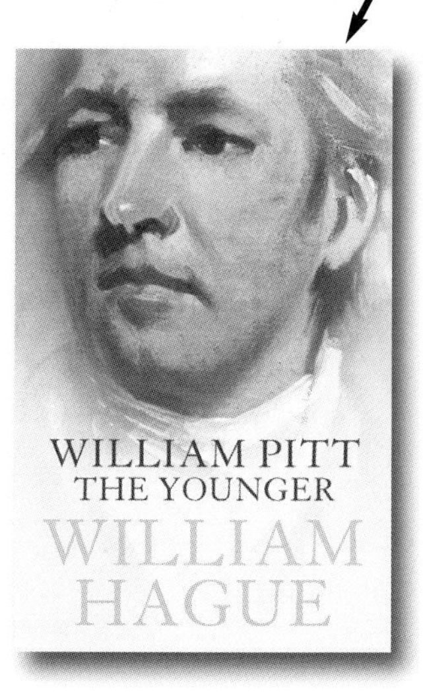

Yn yr enghraifft hwn, mae Hague wedi dyfynnu un o gyfoedion Pitt, sef gŵr oedd wedi arsylwi sut yr oedd yn ymddwyn yn Nhŷ'r Cyffredin ac a oedd yn gyfarwydd â'i bersonoliaeth a'i ymarweddiad. Dyma dystiolaeth gyfoes ac mae Hague wedi ychwanegu ei ddehongliad ef o hunan-hyder Pitt. Mae hyn yn arddangos y broses fyfyriol sy'n rhan annatod o waith yr hanesydd.

I haneswyr, mae'r wasg yn ffynhonnell bwysig o dystiolaeth gyfoes. Mae papurau newydd yn ddogfennau hanesyddol gwerthfawr gan eu bod yn darparu cofnod dyddiol o ddigwyddiadau ac yn adlewyrchu'r safbwyntiau gwleidyddol a chymdeithasol a ddylanwadodd fwyaf ar y cyfnod. Mae'n bosibl gweld enghraifft o'u gwerth yng ngwaith Thomas Campbell Foster, gohebydd i'r *Times*, a gafodd ei anfon o Lundain i dde orllewin Cymru i adrodd ar y cythrwfl a achoswyd gan Wrthryfelwyr Beca yn 1843. Ac yntau yn gweithio i'r *Times*, byddech yn disgwyl i Campbell Foster gefnogi'r sefydliad a bod yn feirniadol o'r protestiadau a oedd yn digwydd yn Sir Gaerfyrddin a Sir Benfro. Nid felly y bu, ac mae ei adroddiadau yn arddangos peth cydymdeimlad â baich y ffermwyr, fel y gwelir yn y dyfyniad canlynol:

'Heb unrhyw amheuaeth, prif achos y cythrwfl yw tlodi'r ffermwyr. Maent wedi dod yn fwy anfodlon â phob treth a baich y galwyd arnynt i'w talu. Os ychwanegir at hyn ... faich anghyfiawn [y tollau], mae'r uchafbwynt yn nesáu, pa bynnag ddibwys yr ymddengys yn ei hunan, sydd wedi megino'r anniddigrwydd hwn yn fflam.'

Thomas Campbell Foster yn gohebu yn *The Times*, 26 Mehefin 1843

Mae adroddiadau ymchwiliadol Campbell Foster i ddigwyddiadau 1843-44 yn ne orllewin Cymru wedi bod yn ffynhonnell werthfawr i haneswyr o dystiolaeth gynradd yn ymwneud â therfysgoedd Beca. Roedd Campbell Foster yn bresennol adeg y digwyddiadau hyn, roedd yn gyfoeswr a gynhaliodd gyfweliadau â phobl oedd yn rhan ohonynt, ac roedd yn gallu dod i ddyfarniadau ynghylch achosion yr aflonyddwch. Gwaith yr hanesydd yw gwerthuso dibynadwyedd a phwysigrwydd ei ohebu.

Anawsterau penderfynu a yw ffynhonnell yn safbwynt cyfoes ynteu'n fyfyrdod diweddarach

Nid yw bob amser yn hawdd penderfynu a yw darn o dystiolaeth yn safbwynt cyfoes ynteu'n fyfyrdod diweddarach, a gall hyn effeithio ar ba mor ddefnyddiol y mae i'r hanesydd. Er enghraifft, a ddylid trin Brithlen Bayeux fel safbwynt cyfoes neu fyfyrdod diweddarach? Mae'r tapestri yn cael ei ystyried yn gofnod o ddigwyddiadau Brwydr Hastings yn 1066. Mae'n dystiolaeth gyfoes yn nhermau'r mathau o wlân a ddefnyddiwyd i wneud y tapestri, y llifynnau a ddefnyddiwyd i gael y lliwiau a thechnegau'r gwniadwragedd. Mae hefyd yn safbwynt cyfoes o'r hyn y dymunai'r Normaniaid i'r byd ei wybod am y frwydr. Fodd bynnag, nid yw'n safbwynt cyfoes o'r frwydr ei hun ond yn fyfyrdod diweddarach, a luniwyd gydag elfen o ôl-welediad. Fe'i comisiynwyd ar ôl y frwydr ac nid oedd y gwragedd fu'n ei wnïo yn bresennol ar faes y gad yn Hastings; ni wyddom sut y cafodd y gwragedd union fanylion trefn digwyddiadau 14 Hydref 1066. Mae'n rhaid i ni dybio eu bod wedi cael y manylion o dystiolaeth lafar. Yn yr ystyr hwn, mae'r tapestri yn fyfyrdod diweddarach yn hytrach na disgrifiad cyfoes.

Eich tasg

Mae'r dasg hon yn seiliedig ar ddigwyddiadau Mai 1915 pan suddodd y llong deithio *Lusitania*. Bydd gofyn i chi werthuso a barnu defnyddioldeb a dibynadwyedd ystod o ffynonellau hanesyddol.

Cyd-destun: roedd y *Lusitania* ar gymal olaf ei thaith ar draws Cefnfor Iwerydd o Efrog Newydd i Lerpwl. Fe'i suddwyd oddi ar arfordir de Iwerddon gan un torpedo a daniwyd o'r llong-danfor Almaenig U-20. Suddodd y llong mewn 18 munud a chollwyd 1,201 o fywydau. Digwyddodd y cyfan ganol y prynhawn ar 7 Mai 1915 yn ystod blwyddyn gyntaf y Rhyfel Mawr. Honnai'r awdurdodau Almaenig fod y llong yn darged cyfreithiol ar gyfer ymosodiad gan ei bod yn cludo arfau rhyfel, ond gwadai'r awdurdodau Prydeinig ac Americanaidd hyn.

Astudiwch bob un o'r ffynonellau A-D ac yna atebwch y cwestiynau sy'n dilyn.

Ffynhonnell A

Tudalen flaen papur newydd y *New York Times* a gyhoeddwyd y diwrnod ar ôl i'r *Lusitania* suddo.

The New York Times.

LUSITANIA SUNK BY A SUBMARINE, PROBABLY 1,000 DEAD;
TWICE TORPEDOED OFF IRISH COAST; SINKS IN 15 MINUTES;
AMERICANS ABOARD INCLUDED VANDERBILT AND FROHMAN;
WASHINGTON BELIEVES THAT A GRAVE CRISIS IS AT HAND

THE LOST CUNARD STEAMSHIP LUSITANIA

Ffynhonnell B

Portread ar ffurf paentiad yn dangos y *Lusitania* yn suddo. Nid oedd yr artist yn bresennol i fod yn llygad-dyst i'r digwyddiad ei hun.

Ffynhonnell C

Darluniad o ddrylliad y *Lusitania* yn gorwedd ar wely'r môr, gyda'r twll mawr yng nghorff y llong a achoswyd gan y torpedo. Crëwyd y ddelwedd hon gan yr artist Ken Marschall gan ddefnyddio gwybodaeth o archwiliad Dr. Robert Ballard o safle'r drylliad mewn llong danfor yn 1993.

Paentiad gan Ken Mrschall © 1994

Ffynhonnell Ch

Llun llonydd o ddrama-ddogfen gan y BBC o'r enw *The sinking of the Lusitania*, a ddangoswyd gyntaf ar y teledu yn 2008. Mae'r olygfa yn dangos teithwyr yn ceisio dianc wrth i'r llong suddo.

Ffynhonnell D

'3.10 yp. Trwyn wedi'i saethu'n glir 700 m … ongl croestoriad 90 [gradd] cyflymder amcangyfrifol 22 milltir fôr.

Tarodd yr ergyd yr ochr dde tu ôl y bont. Dilynwyd hyn gan ffrwydrad eithriadol o drwm, gyda chwmwl mawr iawn o fwg (cryn dipyn yn uwch na'r corn simnai blaen). Mae'n rhaid bod ail ffrwydrad wedi dilyn un y torpedo (boiler neu lo neu bowdr?).

Rhwygwyd ar wahân yr uwchadeiledd uwchben y pwynt taro a'r bont; cyneuodd dân; cuddiwyd y bont uchel â mwg ysgafn. Safodd y llong yn ei hunfan a gwyrodd yn gyflym i'r ochr dde, gan suddo'n ddyfnach a'i phen iddi ar yr un pryd.

Roedd dryswch dirfawr ar fwrdd y llong; llwyddwyd i ryddhau rhai o'r cychod a'u gostwng i'r dŵr. Mae'n rhaid bod llawer o bobl wedi colli eu bywydau; plymiodd nifer o gychod a oedd yn llawn o bobl, gan daro'r dŵr â'u trwyn neu eu starn yn gyntaf a llenwi'n syth.

Ar yr ochr chwith, oherwydd safle goleddol y llong, llwyddodd llai o gychod i symud yn glir nag ar yr ochr dde.'

Dyfyniad o ddyddiadur Walter Schwieger, capten y llong danfor Almaenig U-20. Taniodd un torpedo tuag at y *Lusitania* am 3.10 yp ar 7 Mai 1915. Tarodd ei darged ganol y llong.

Eich tasg

1. Archwiliwch bob un o'r pum ffynhonnell a phenderfynwch a fyddech chi'n dosbarthu pob ffynhonnell unigol yn ddarn o dystiolaeth gyfoes neu'n dystiolaeth fyfyriol. Rhowch resymau llawn am eich penderfyniad.

2. Pa ffynonellau fyddech chi'n eu hystyried y mwyaf defnyddiol i hanesydd sy'n ceisio canfod beth yn union ddigwyddodd adeg suddo'r llong?

3. Pa ffynonellau fyddech chi'n eu hystyried y mwyaf dibynadwy fel darnau o dystiolaeth? Rhowch resymau llawn am eich ateb.

A yw myfyrdodau diweddarach yn fwy defnyddiol i'r hanesydd nag adroddiadau cyfoes?

Camsyniad cyffredin ymhlith myfyrwyr hanes yw mai ychydig iawn o werth sydd i ffynonellau cyfoes oherwydd bod gogwydd yn eu barn. Fodd bynnag, nid yw hyn yn wir o bell ffordd oherwydd nid yw pob tystiolaeth gyfoes yn dangos gogwydd, a hyd yn oed os oes gogwydd ynddi, mae'n dal i fod yn ddefnyddiol oherwydd mae'n rhoi gwybodaeth i ni am y modd yr oedd pobl yn meddwl ar y pryd. Rhan o dasg yr hanesydd yw ystyried pam a sut y daethant i goleddu'r safbwynt penodol hwnnw. Yn yr un modd, mae'n dilyn nad yw'r holl fyfyrdodau diweddarach gan haneswyr yn rhai cytbwys a diduedd. Mae'n wir eu bod yn ysgrifennu gyda chymorth ôl-welediad, ond gallai eu dehongliadau o ddigwyddiadau gynrychioli safbwynt penodol sydd ganddynt oherwydd eu daliadau gwleidyddol, crefyddol neu ddiwylliannol. Bydd cydbwysedd eu dehongliad hefyd yn dibynnu ar ba ffynonellau cyfoes a gweithiau haneswyr eraill y maent wedi ymgynghori â hwy yn ystod eu hymchwiliad. Bydd haneswyr Marcsaidd, er enghraifft, yn dueddol o bwysleisio'r rhyfel dosbarth yn eu dehongliad o achosion digwyddiadau fel y Rhyfel Catref Seisnig a'r Chwyldro Ffrengig. Mae felly'n bwysig eich bod chi, fel myfyriwr Safon U, yn rhoi sylw arbennig i gefndir ac awdurdod awdur y ffynhonnell oherwydd gall hyn effeithio ar eu dehongliad.

Yn y cyd-destun hwn, ni all myfyrdod diweddarach fod yn fwy defnyddiol i'r hanesydd na chofnod cyfoes. Mae gan y ddau eu cryfderau a'u gwendidau.

(b) Ffynonellau gweledol

Gall tystiolaeth weledol fod ar sawl ffurf. Er enghraifft, gall fod yn ffotograff, cartŵn, paentiad, darlun, map neu ddata ystadegol. Bydd gan bob un o'r rhain ei ddefnydd i'r hanesydd.

(i) Ffotograffau

Gall ffotograffau fod yn hynod o ddefnyddiol i'r hanesydd, ond fel gyda phob math o dystiolaeth, mae'n rhaid eu trin yn ofalus. Rhaid hefyd eu rhoi drwy broses drylwyr o ddadansoddi a dehongli. Tra'n archwilio ffotograffau:

- Mae'n bwysig ystyried y cyd-destun y tynnwyd y ffotograff ynddo;
- Dylid cadw mewn cof y byddai'r rhan fwyaf o ffotograffwyr, pe gallent, yn dethol yn ofalus y safbwyntiau gorau i'w ffotograffau;
- Mae'n bwysig sylweddoli bod modd i'r camera ddweud celwydd, a bod ffotograffau ar adegau yn cael eu newid yn fwriadol i ateb rhyw angen penodol;
- Mae rhai ffotograffau yn fwriadol ffug.

Ffynhonnell A

Gallai'r ffotograff hwn ymddangos yn un defnyddiol i hanesydd gan ei fod yn dangos Lenin a Stalin yn cynnal sgwrs ddifrifol yn Gorki, ardal o Moskva, yn 1922. Mae'n rhoi'r argraff bod y ddau ddyn yn gyfeillion ond mae'r ffotograff mewn gwirionedd yn un ffug. Fe'i cynhyrchwyd ar ddiwedd yr 1920au i'r diben o hybu statws a phwysigrwydd Stalin yn yr ymgiprys am bŵer a ddatblygodd yn dilyn marwolaeth Lenin. Yn y ffotograff gwreiddiol, mae Lenin yn eistedd ar ei ben ei hun.

Ffynhonnell B

Mae'r ffotograff hwn yn dangos swyddfa recriwtio rhyfel yn Neuadd y Dref Southwark yn Llundain yn Rhagfyr 1915. Mae'r dynion yn ymddangos yn hwyliog a brwdfrydig iawn. Roedd y ffotograffydd wedi gofyn iddynt ymddwyn fel hyn tra roedd yn tynnu'r llun. Ffurfiai delweddau fel hyn ran o'r ymgyrch bropaganda a gynlluniwyd i annog dynion i ymuno â'r lluoedd arfog ac a oedd yn pwysleisio pwysigrwydd dyletswydd gwladgarol. I'r ffynhonnell hon fod yn ddefnyddiol i'r hanesydd, mae'n bwysig deall y **cyd-destun** y cynhyrchwyd y ffotograff ynddo.

Eich tasg

1. Mae Ffynhonnell A yn ffotograff ffug a gynhyrchwyd ar ddechrau'r 1920au. Esboniwch sut y gallai fod yn ddefnyddiol i hanesydd sy'n astudio twf Stalin i rym.

2. A fyddai Ffynhonnell B o unrhyw ddefnydd i hanesydd sy'n astudio'r dulliau a ddefnyddiwyd gan y Llywodraeth Brydeinig i annog recriwtio yn ystod cyfnodau cynharaf y rhyfel? Esboniwch eich ateb yn llawn.

Er mwyn dadansoddi a gwerthuso ffotograff yn drylwyr, mae'n angenrheidiol gofyn cyfres o gwestiynau heriol.

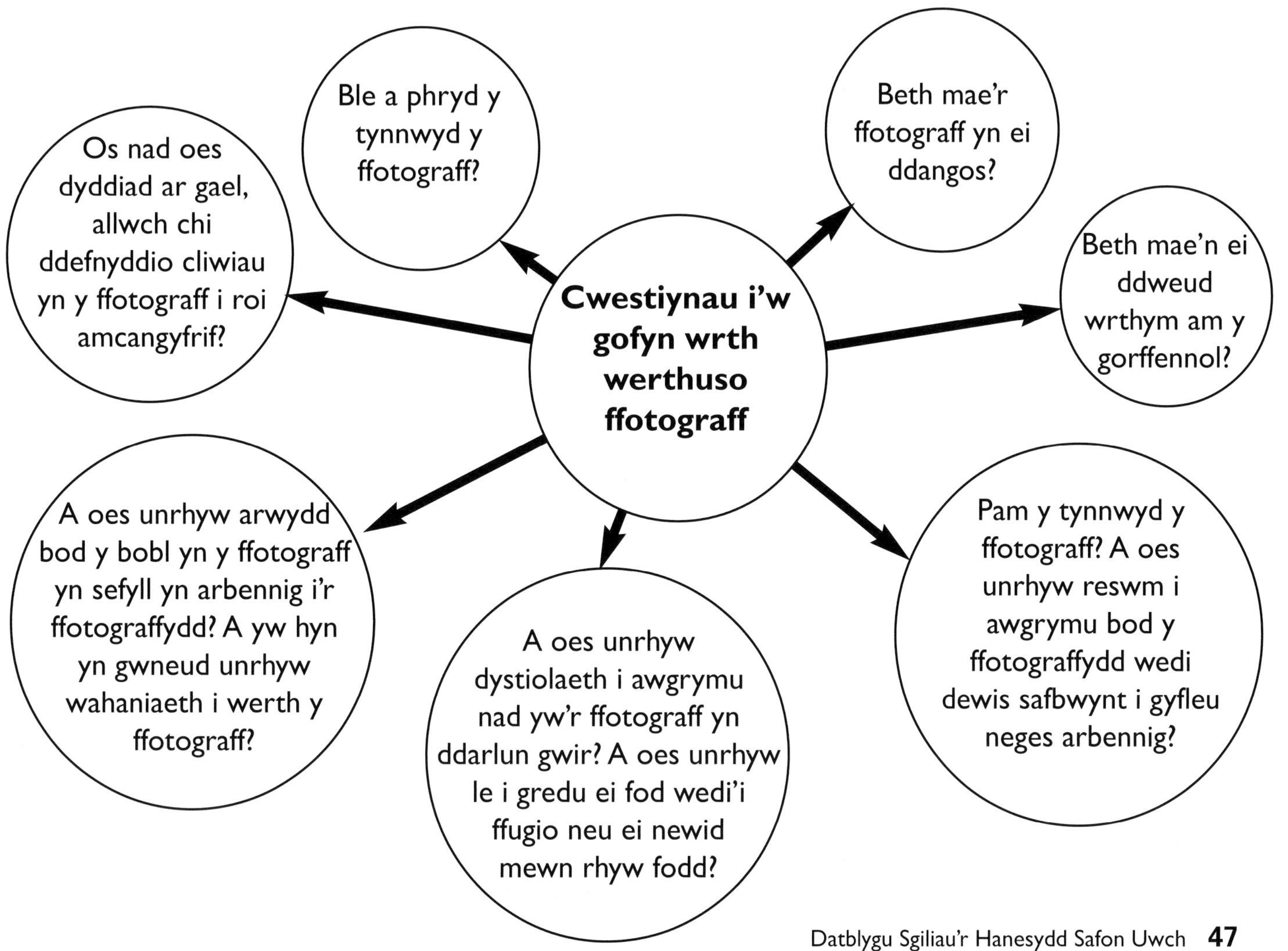

(ii) Cartwnau

Mae'n eithaf cyffredin i gwestiwn ar bapur arholiad Safon UG neu U ofyn i'r ymgeisydd werthuso cartŵn fel darn o dystiolaeth hanesyddol. Mae'r cartŵn yn darparu dehongliad penodol o ddigwyddiad a'ch tasg chi yw adnabod, egluro ac arddangos dealltwriaeaeth o'r dehongliad hwnnw. Mae'n syniad da anodi'r cartŵn i ddechrau trwy adnabod ffigurau a nodweddion allweddol, nodi arwyddocâd ac ystyr unrhyw labeli neu ysgrifen, ceisio egluro ystyr unrhyw bennawd, a cheisio canfod prif neges y cartŵn. Gofynnwch i chi eich hun beth y mae'r cartwnydd yn ceisio'i ddweud, pa safbwynt y mae'r cartwnydd yn ei gymryd, ac a yw'r cartŵn yn cadarnhau neu'n gwrthddweud eich dealltwriaeth o'r digwyddiad dan sylw. Mae'r canlynol yn enghraifft o sut y gellid anodi cartŵn:

Cartŵn gan David Low yn portreadu Noson y Cyllyll Hirion, 30 Mehefin 1934.
Fe'i cyhoeddwyd mewn papur newydd Prydeinig, *The Evening Standard* ar 3 Gorffennaf 1934.
(Archif Cartwnau Prydeinig, Prifysgol Caint).

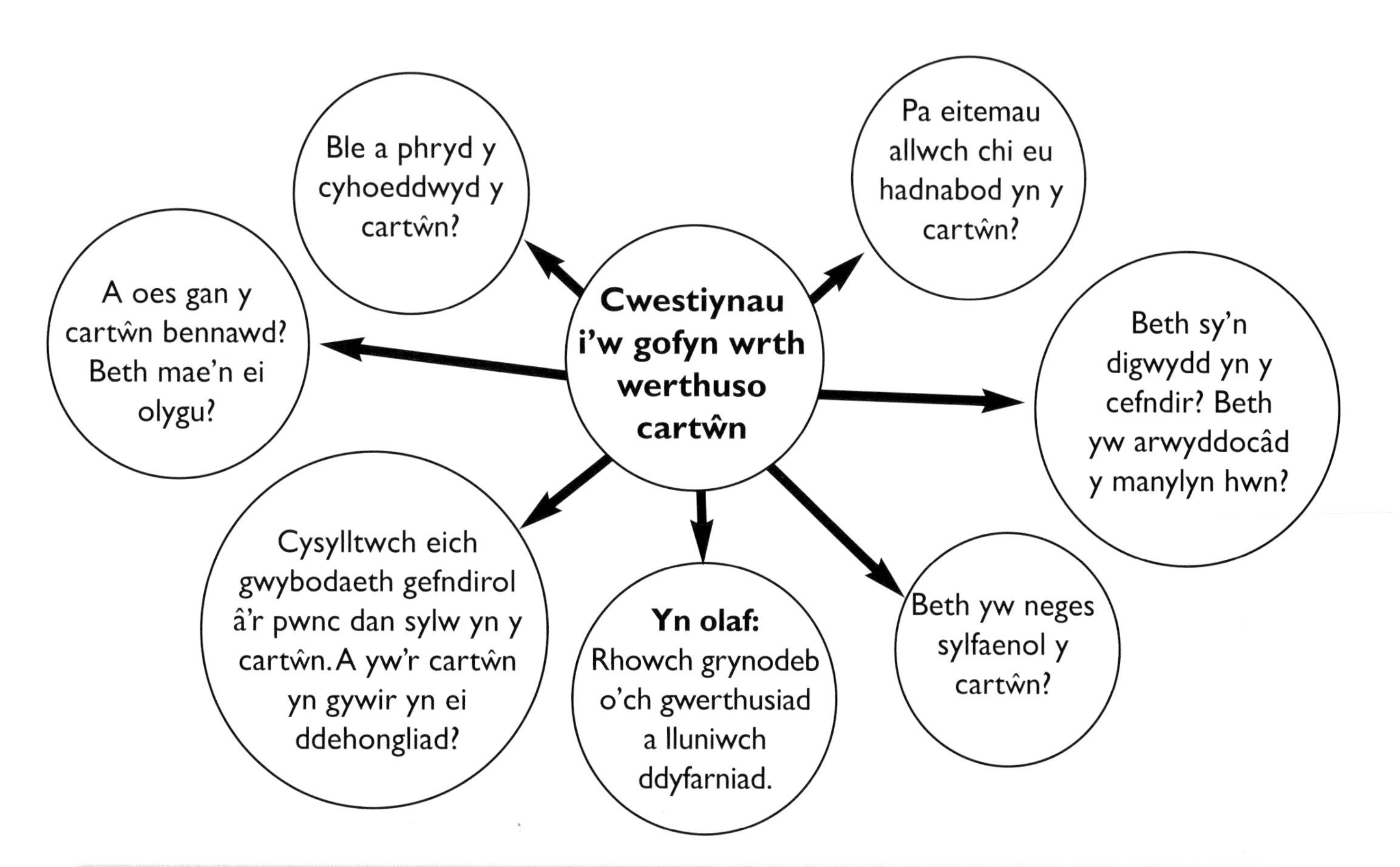

Eich tasg

Cymhwyswch y cwestiynau gwerthuso a restrir yn y diagram uchod i'r cartŵn yma.

Cwestiynau:

(a) Pa wybodaeth am derfysgoedd Beca allwch chi ei chanfod o'r cartŵn hwn?

(b) Pa mor ddibynadwy fyddai'r ffynhonnell hon i hanesydd sy'n astudio terfysgoedd Beca?

Cartŵn cyfoes yn dangos terfysgwyr Beca yn ymosod ar dollborth. Ymddangosodd y ddelwedd yn 1843 yn *Punch*, sef cylchgrawn a fwriadwyd i'r dosbarth canol.

(iii) Paentiadau a Darluniadau

Fel gyda chartwnau, gall paentiadau a darluniadau fod yn ddarnau defnyddiol o dystiolaeth hanesyddol, ond mae'n rhaid eu trin yn ofalus a defnyddio'r un broses werthuso. Nid yw paentiadau na darluniadau yn ddelweddau gweledol manwl gywir, ond maent yn gynrychioliadau o ddigwyddiadau gan arlunwyr ac, o ganlyniad, mae'n rhaid ystyried eu cywirdeb yn ofalus wrth werthuso pa mor ddefnyddiol a dibynadwy ydynt. Er enghraifft, caiff paentiad olew gan Charles Cundall, sy'n darlunio milwyr Prydeinig yn ymgilio o draethau Dunkirk ym Mai/Mehefin 1940, ei atgynhyrchu'n aml mewn gwerslyfrau hanes i ddarlunio'r broses ymgilio. Eto i gyd, mae ei werth fel ffynhonnell hanesyddol yn agored i drafodaeth.

Ymadael â Dunkirk yn ystod Mai/Mehefin 1940. Paentiad olew cyfoes gan Charles Cundall a gafodd ei anfon gan y llywodraeth Brydeinig i gynhyrchu paentiad swyddogol o'r digwyddiadau ar draethau Dunkirk.

Comisiynwyd Charles Cundall gan y llywodraeth Brydeinig i beintio darlun swyddogol o'r ymgiliad, ac fe'i anfonwyd i draethau Dunkirk. Mae'n siŵr ei fod wedi gwneud brasluniau o'r golygfeydd a welodd a thynnu lluniau. Fe fyddai wedi cynnal gwaith ymchwil pellach hefyd trwy astudio ffotograffau a dynnwyd gan eraill ar y pryd a gwerthuso tystiolaeth lafar rhai o'r milwyr a lwyddodd i ymgilio, a hefyd y morwyr oedd yn rhan o'r digwyddiad. Mae ei baentiad felly, a gafodd ei gwblhau yn ystod y rhyfel, yn ddehongliad o'r ymgiliad o Dunkirk, yn seiliedig ar ei ymchwil a'i ddealltwriaeth ef o'r dystiolaeth a gafodd.

Eich tasg

1. A ydych chi'n ystyried y darlun gan Charles Cundall sy'n dangos y lluoedd Prydeinig yn ymgilio o Dunkirk ym Mai/Mehefin 1940, yn ffynhonnell gyfoes neu'n fyfyrdod diweddarach? Rhowch resymau llawn am eich ateb.
2. Sut y byddech chi'n profi cywirdeb darlun Cundall o ddigwyddiadau Dunkirk?

(c) Hanes llafar

Hanes a siaredir yw hanes llafar. Dyma atgofion pobl o'r gorffennol sy'n cael eu hadrodd i haneswyr yn hytrach na'u hysgrifennu fel cofiannau. Mae cyfresi dogfen teledu enwog fel *The World at War* a gynhyrchwyd yn yr 1970au a *The Peoples' Century* a gynhyrchwyd yn yr 1990au wedi gwneud defnydd helaeth o dystiolaeth lafar pobl a oedd wedi byw trwy'r digwyddiadau dan sylw. Mae tueddiad ymhlith myfyrwyr i ddisytyru tystiolaeth lafar, gan feddwl nad oes modd dibynnu arni oherwydd ei bod yn seiliedig ar gof, ac felly ni fydd yn fanwl gywir. Fodd bynnag, o ystyried yn ofalus yr aflunio posibl a'r cywirdeb, gall fod yn erfyn defnyddiol iawn i haneswyr. Mewn sawl ystyr, nid yw'n wahanol i stori mewn papur newydd a luniwyd o gyfweliadau a roddwyd i'r gohebydd; yr unig wahaniaeth sylweddol yw'r bwlch amser.

Wrth ddefnyddio hanes llafar fel tystiolaeth, mae'n rhaid i haneswyr ystyried gwendidau posibl:

- Gall fod yn wallus ac yn annibynadwy fel tystiolaeth;
- Mae'n dibynnu ar gof dynol;
- Mae cof yn aml yn ddetholus;
- Gall cof fethu ac aflunio.

Mae pobl hŷn, er enghraifft, yn dueddol o gofio'r adegau da iawn neu ddrwg iawn, gan dueddu i anghofio'r adegau cyffredin. Maent yn dueddol o wneud datganiadau gor-gyffredinol, gan gyfeirio'n aml at 'yr hen ddyddiau da'. Mae'n bosibl eich bod wedi cael y dasg o gyfweld perthynas oedrannus pan oeddech yn iau, gan ofyn iddynt hel atgofion am eu bywydau yn ystod yr Ail Ryfel Byd. Byddent wedi sôn am y caledi a fodolai ar y Ffrynt Cartref, gan ymhelaethu ar faterion fel dogni, ymgilio a'r blac-owt, ond mae'n debygol iawn na fyddent wedi dweud rhyw lawer am y gweithgareddau beunyddiol mwy cyffredin. Mae'n bosibl y byddent wedi cofio rhai straeon doniol neu rai hanesion trist gan ei bod yn haws cofio digwyddiadau oedd allan o'r cyffredin.

Meddyliwch nôl i'ch amser yn yr ysgol gynradd. Byddwch yn fwy tebygol o gofio pethau sydd wedi cael effaith ddramatig ar eich cof – digwyddiad a wnaeth i chi deimlo'n falch neu'n wir ddigwyddiad y byddai'n well gennych ei anghofio ond eich bod yn methu oherwydd ei fod mor ddrwg. Byddwch fwy na thebyg yn ei chael yn anodd cofio gweithdrefnau cyffredin a rheolaidd bywyd bob dydd yn yr ysgol. Rydych yn cofio'r uchafbwyntiau a'r isafbwyntiau ac yn dueddol o anghofio'r darnau canol!

Mae'n rhaid felly trin hanes llafar gyda'r un rhagofalon ag unrhyw ffynhonnell hanesyddol arall. Gall fod yn annibynadwy ond nid yw hynny'n ei wneud yn ddiwerth:

- Gellir traws-wirio ffynonellau llafar â ffynonellau eraill er cywirdeb;
- Maent yn adlewyrchu beth deimlai pobl am ddigwyddiadau yn y gorffennol;
- Maent yn dangos sut y cafodd digwyddiadau eu cofio.

(ch) Ffuglen hanesyddol

Diffinnir ffuglen fel unrhywbeth sydd wedi'i dyfeisio neu ei chreu, fel straeon, dramâu, nofelau a cherddi. Mae ffuglen hanesyddol ysgrifenedig yn aml yn seiliedig ar ffaith. Mae'r awduron wedi gorfod ymchwilio'r cyfnod hanesyddol er mwyn sicrhau bod y stori yn ymddangos yn ddilys. Mae nofelau diweddar fel *Birdsong* a *Caeau Fflandrys*, y ddwy yn ymdrin ag amodau yn y ffosydd yn Fflandrys yn ystod y Rhyfel Byd Cyntaf, ynghyd â *The Boy in the Striped Pyjamas* sy'n ymdrin â chamdriniaeth yr Iddewon dan ddwylo'r Natsïaid, yn llwyddiannus i raddau helaeth oherwydd eu bod yn cyfleu naws cyfnod penodol. Mae'r sylw a roddir i fanylion yn galluogi'r darllenydd i werthfawrogi'r cyfnod arbennig hwnnw. I ffuglen hanesyddol fod yn llwyddiannus mae'n rhaid iddi gyffroi'r darllenydd a rhoi'r argraff ei bod yn gynrychiolaeth gywir o'r adegau hynny, yn y modd yr helpodd nofelau Charles Dickins i greu delwedd o galedi bywyd yn slymiau trefol Llundain oes Fictoria, neu y mae ysgrifau Thomas Hardy yn darparu delwedd weledol o fywyd yng nghefn gwlad yn yr un cyfnod. Gall gweithiau o'r fath fod yn ddefnyddiol i fyfyrwyr wrth eu helpu i ddarparu cyd-destun i ddealltwriaeth o gyfnodau penodol o amser, ond ni ddylid eu trin fel adroddiadau ffeithiol. Ni allant chwaith honni eu bod yn adlewyrchiad cywir o fywyd yn y cyfnod hwnnw. Wrth archwilio deunydd o'r fath, dylid cofio bob amser mai amcan y nofel yw diddanu yn hytrach nag addysgu. Gellir defnyddio gor-ddweud a chamgymeriadau hanesyddol i wella plot stori, ac mae'n rhaid ysytyried hyn wrth asesu defnyddioldeb a dibynadwyedd.

Nofelau Daniel Owen o'r Wyddgrug, Sir y Fflint

Ganwyd Daniel Owen yn yr Wyddgrug yn 1836, yr ieuengaf o saith plentyn. Pan oedd ond rai misoedd oed, bu farw ei dad a dau o'i frodyr mewn llifogydd tra roeddent yn gweithio yng nglofa Argoed. Ac yntau wedi'i fagu mewn tlodi, ychydig iawn o addysg dderbyniodd Daniel, ac yn ddeuddeg oed fe'i prentisiwyd i deiliwr yn nhref yr Wyddgrug. Roedd gweithio mewn siop yn golygu ei fod yn cyfarfod â phobl leol drwy'r amser a rhoddodd y profiad hwn, ynghyd â'i waith fel pregethwr anghydffurfiol, y manylion cefndir iddo a oedd yn angenrheidiol pan ddaeth i ysgrifennu ei nofelau.

Portread o Daniel Owen a beintiwyd tua diwedd ei oes.

Mae ei nofelau amrywiol, a ysgrifennwyd yn Gymraeg ond a gafodd eu cyfieithu i Saesneg yn ddiweddarach, yn disgrifio bywydau pobl gyffredin, ac wedi'u seilio'n bennaf ar y bobl yr oedd yn eu hadnabod yn nhref yr Wyddgrug a'r cyffiniau. Bernir mai *Rhys Lewis*, a ymddangosodd yn 1885, yw ei nofel bwysicaf. Dyma hunangofiant Rhys, ac ynddo mae ei fywyd caled yn troelli o amgylch llu o drasiedïau sy'n effeithio arno ef a'r gymuned. Mae digwyddiadau Terfysgoedd yr Wyddgrug 1869 yn gefndir i'r cyfan, pan fu gwrthdaro rhwng glowyr o lofa Leeswood Green a milwyr a oedd wedi'u hanfon yno i dawelu'r cythrwfl. Bu farw pedwar o bobl yn ystod yr ymladd. Yn y nofel, cyfeirir at lofa Leeswood Green fel 'Y Caeau Cochion' a rheolwr y gwaith fel 'Mr Strangle'. Mae nofelau eraill Daniel Owen yn cynnwys *Enoc Huws* (1891) sy'n adrodd stori plentyn siawns a fagwyd mewn tloty ac a ddaeth yn groser llwyddiannus, a'i helbulon diweddarach, a *Gwen Tomos* (1894) sy'n darlunio datblygiad Methodistiaeth Galfiniaidd yn Sir y Fflint wledig yn ail hanner y ddeunawfed ganrif. Bu farw Daniel Owen yn 1895.

Y Stafell Ddirgel, nofel gan Marion Eames, a gyhoeddwyd yn 1969

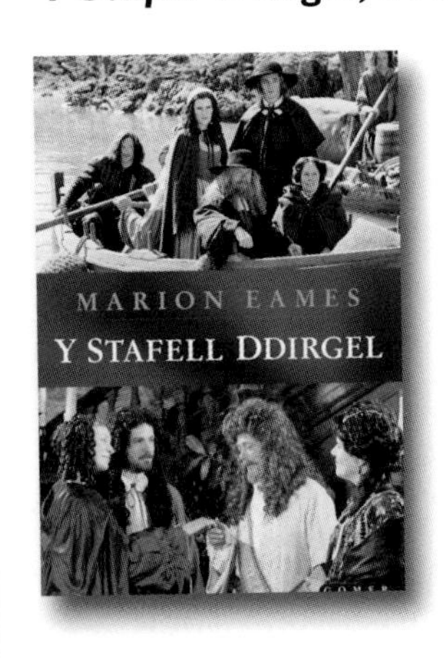

Mae'r stori wedi'i gosod yn nheyrnasiad Siarl II ac yn dilyn profiadau Rowland Ellis. Mae'n dod yn Grynwr dan ddylanwad ei gymydog, ond nid yw ei wraig yn rhannu ei gredoau crefyddol. Yn dilyn ei marwolaeth, mae Ellis yn priodi cyfnither sy'n cydymdeimlo ag ef. Yn ddiweddarach, mae ei gredoau crefyddol yn cael eu datgelu i'r awdurdodau gan was yr oedd wedi'i ddiswyddo; mae e'n disgrifio 'ystafell ddirgel' y dywedodd ei fod wedi'i gweld yn y tŷ ac a oedd yn cynnwys gwrthrychau addoli Pabyddol. Arestiwyd Ellis a'i gyd-Grynwyr, ac fe'u carcharwyd a'u condemnio'n anghyfreithlon i farwolaeth. Ymyriad uniongyrchol y Brenin yn unig a'u hachubodd. Yn dilyn yr erledigaeth grefyddol hon, penderfynant ymadael â Chymru a hwylio i America. Yno mae Ellis yn sefydlu trefedigaeth Gymreig yn Pennsylvania. Mae'r nofel yn creu cefnlen ddramatig i gythrwfl crefyddol yr ail ganrif ar bymtheg o fewn y cyd-destun Cymreig.

I'w drafod:
A yw nofelau awduron fel Daniel Owen a Marion Eames o unrhyw werth i'r hanesydd?

(e) Ffynonellau Rhyngrwyd

Mae'r Rhyngrwyd yn tyfu fel trysorfa deunydd ffynhonnell i fyfyrwyr hanes. Mae'n codi her ddifrifiol i'r hanesydd yn nhermau gwerthuso defnyddioldeb a dibynadwyedd yr ystod eang o ddata sydd ar gael ar y We Fyd Eang. Mae'n hawdd teipio gair ym mlwch 'chwilio' peiriant chwilio fel *Google* neu *Yahoo*, pwyso'r botwm a chael miloedd o ganlyniadau sy'n gysylltiedig â'ch chwiliad penodol chi. Gall ceisio penderfynu pa safle i ymweld ag ef fod yn ddryslyd, gan mai cipolwg cyfyngedig iawn o'r hyn y mae'r safle yn ei gynnwys a geir yn y disgrifiad cryno. Gellir colli llawer o amser wrth ymweld â safleoedd diwerth neu wrth geisio canfod yr adrannau perthnasol mewn rhai eraill.

Unwaith eich bod wedi llwyddo i ganfod gwybodaeth berthnasol, mae'n rhaid i chi fod yr un mor drylwyr wrth ddadansoddi a gwerthuso'r wybodaeth ag y byddech wrth ymchwilio gwybodaeth o lyfrau, cyfnodolion a phapurau newydd. Gall fod yn anodd gwerthuso ffynonellau'r Rhyngrwyd oherwydd gall unrhyw berson osod unrhyw wybodaeth ar y Rhyngrwyd, ac nid oes unrhyw fodd monitro cywirdeb y wybodaeth. Y peth gorau y gallwch ei wneud yw gofyn cyfres o gwestiynau sylfaenol fel y rhai a ddangosir ar y dudalen nesaf.

Mae myfyrwyr yn ymweld yn fwyfwy â gwyddoniaduron ar-lein fel *Wikipedia*. Fe'i crewyd mor ddiweddar â 2001, ac mae *Wikipedia* yn wyddoniadur ar-lein sy'n rhad ac am ddim, ac sydd wedi tyfu i fod yn un o'r safleoedd gwe gwybodaeth mwyaf sydd ar gael i fyfyrwyr. Fodd bynnag, nid yw ei faint yn golygu bod yr holl wybodaeth sydd arno yn gywir a dibynadwy. Wrth ddefnyddio gwybodaeth o wefannau fel *Wikipedia* mae'n bwysig cadw rhai pwyntiau mewn cof:

- Unwaith y bydd cofnod wedi'i wneud, gall unrhywun sy'n ymweld â'r wefan honno ei newid;
- Gall pobl ychwanegu at, newid a hyd yn oed ddileu rhan o'r cofnod gwreiddiol;
- Bydd y log ar ddiwedd yr erthygl yn dweud wrthych pryd y gwnaethpwyd y newid diwethaf;
- Y broblem gyda safle o'r fath yw sicrhau bod yr holl wybodaeth a restrir yn ffeithiol gywir a heb ei haflunio nac yn dangos gogwydd bwriadol;
- Nid yw gallu a statws y bobl sydd wedi cyfrannu gwybodaeth i'r erthygl yn hysbys.

Wrth asesu dibynadwyedd gwefan, mae cyfeiriad y we yn gallu cynnig ambell gliw. Dyma rai o'r olddodiaid mwyaf cyffredin i gyfeiriadau ar y we:

- **.edu** gwefan sydd â sefydliad addysgol yn westeiwr iddi. Byddech yn disgwyl i wybodaeth o'r fath fod yn ysgolheigaidd ac wedi'i hymchwilio.
- **.gov** gwefan sydd â chorff llywodraethol yn westeiwr iddi. Byddech yn disgwyl i'r wybodaeth fod yn gywir ond gallai gynnwys gwybodaeth unochrog gan fod ar y corff llywodraethol o bosibl eisiau ei bortreadu ei hun mewn golau ffafriol.
- **.org** gwefan sydd â mudiad neu gymdeithas yn westeiwr iddi. Bydd cywirdeb y wybodaeth yn dibynnu ar enw da'r mudiad neu gymdeithas a sut yr ydych chi'n teimlo am y corff hwnnw.
- **.com** gwefan sydd â chorff masnachol yn westeiwr iddi. Bydd yn rhaid i chi fod yn ofalus a bod yn wyliadwrus am bwrpas a gogwydd.

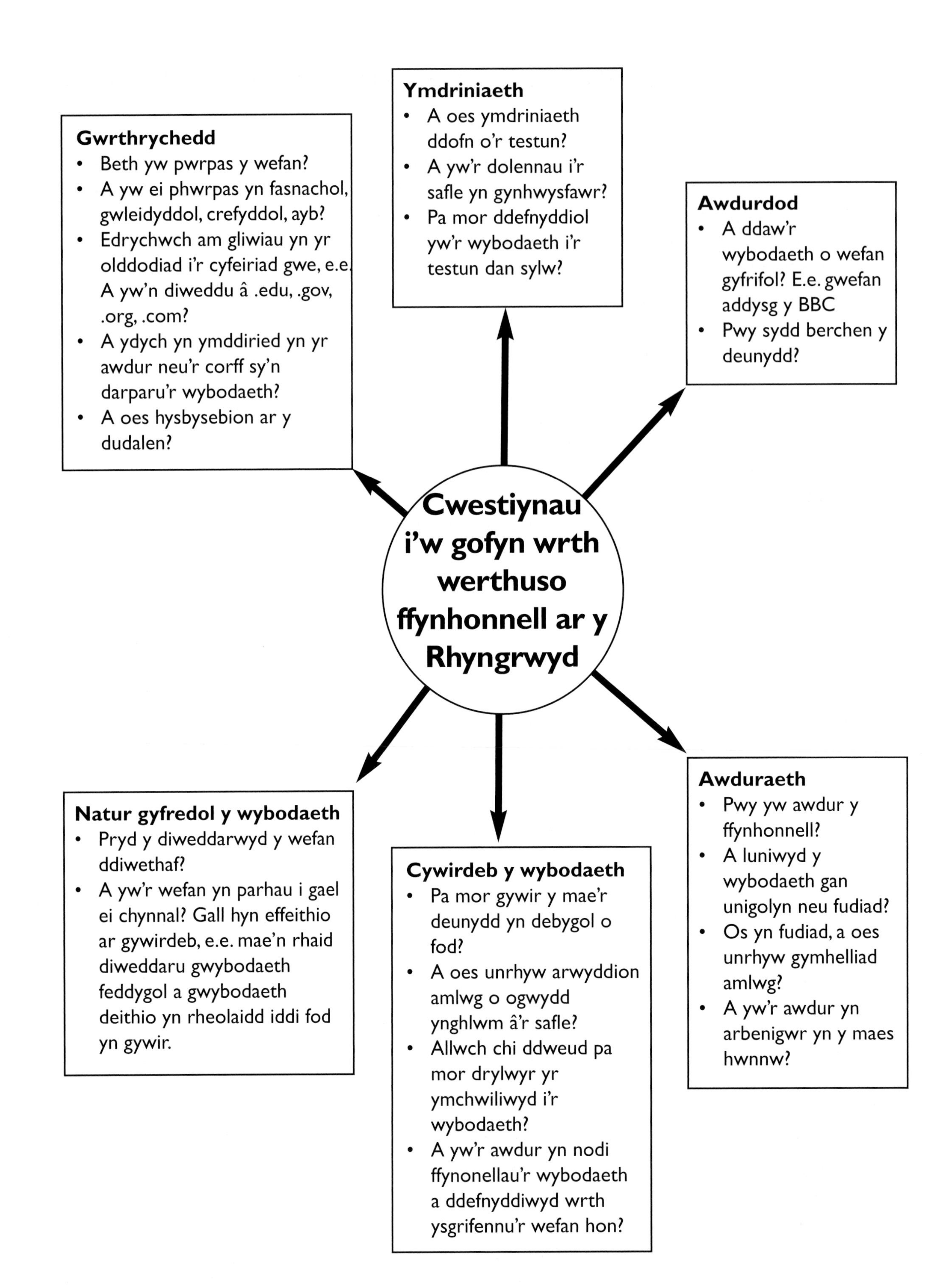
Cwestiynau i'w gofyn wrth werthuso ffynhonnell ar y Rhyngrwyd
Ymdriniaeth
• A oes ymdriniaeth ddofn o'r testun?
• A yw'r dolennau i'r safle yn gynhwysfawr?
• Pa mor ddefnyddiol yw'r wybodaeth i'r testun dan sylw?
Gwrthrychedd
• Beth yw pwrpas y wefan?
• A yw ei phwrpas yn fasnachol, gwleidyddol, crefyddol, ayb?
• Edrychwch am gliwiau yn yr olddodiad i'r cyfeiriad gwe, e.e. A yw'n diweddu â .edu, .gov, .org, .com?
• A ydych yn ymddiried yn yr awdur neu'r corff sy'n darparu'r wybodaeth?
• A oes hysbysebion ar y dudalen?
Awdurdod
• A ddaw'r wybodaeth o wefan gyfrifol? E.e. gwefan addysg y BBC
• Pwy sydd berchen y deunydd?
Natur gyfredol y wybodaeth
• Pryd y diweddarwyd y wefan ddiwethaf?
• A yw'r wefan yn parhau i gael ei chynnal? Gall hyn effeithio ar gywirdeb, e.e. mae'n rhaid diweddaru gwybodaeth feddygol a gwybodaeth deithio yn rheolaidd iddi fod yn gywir.
Cywirdeb y wybodaeth
• Pa mor gywir y mae'r deunydd yn debygol o fod?
• A oes unrhyw arwyddion amlwg o ogwydd ynghlwm â'r safle?
• Allwch chi ddweud pa mor drylwyr yr ymchwiliwyd i'r wybodaeth?
• A yw'r awdur yn nodi ffynonellau'r wybodaeth a ddefnyddiwyd wrth ysgrifennu'r wefan hon?
Awduraeth
• Pwy yw awdur y ffynhonnell?
• A luniwyd y wybodaeth gan unigolyn neu fudiad?
• Os yn fudiad, a oes unrhyw gymhelliad amlwg?
• A yw'r awdur yn arbenigwr yn y maes hwnnw?

Pa anawsterau y mae Haneswyr yn eu hwynebu wrth ddefnyddio ffynonellau fel tystiolaeth?

Y cwestiwn cyntaf i'w ofyn yw: A ellir ymddiried yn y ffynhonnell hon? Os na ellir, yna eich cam nesaf yw ystyried pam. Un o hoff gasgliadau nifer o ymgeiswyr yw na ellir ymddiried yn y ffynhonnell oherwydd 'ei bod yn dangos gogwydd'. Mae ymgeiswyr yn aml yn ysgrifennu bod ffynhonnell yn dangos gogwydd ond anaml y byddant yn dangos unrhyw ddealltwriaeth o'r hyn y maent yn ei olygu wrth ogwydd nac yn egluro pam y credant fod y ffynhonnell yn dangos gogwydd.

Beth yw gogwydd?

- Barn unochrog yw gogwydd.
- Mae ffynhonnell yn dangos gogwydd os yw'n ffafrio un ochr neu'n rhoi un golwg arbennig ar ddigwyddiad.
- Gellir dod o hyd i ogwydd yn y rhan fwyaf o ffynonellau hanesyddol, i ryw raddau neu'i gilydd ac am wahanol resymau.
- Mae'n rhaid i haneswyr fod yn ymwybodol o ogwydd a chymryd hynny i ystyriaeth wrth ddefnyddio ffynhonnell.
- Gall ffynhonnell sy'n dangos gogwydd barhau i fod yn ddefnyddiol i hanesydd.

Rhesymau am ogwydd mewn ffynonellau:

- Gogwydd bwriadol – pan fydd ffynhonnell wedi'i haflunio'n fwriadol neu ei ffugio, e.e. hepgor ffeithiau pwysig neu drin safbwyntiau fel ffeithiau;
- Mynediad cyfyngedig i ddeunydd – pan fydd darn wedi'i ysgrifennu cyn i natur lawn y pwnc ddod yn amlwg; gall hyn arwain at ddisgrifiad unochrog;
- Daliadau neu deimlad yr awdur – gall teimladau neu ddaliadau o'r fath ddallu'r awdur a'i rwystro rhag rhoi safbwynt rhesymegol a gwrthrychol;
- Diben penodol wrth wraidd ffynhonnell – caiff areithiau fel rheol eu traddodi am resymau gwleidyddol; mae agenda gwleidyddol yn aml wrth wraidd erthyglau papur newydd; bwriad hysbysebion yw perswadio'r gwyliwr.

Os yw ffynhonnell yn amlwg yn unochrog, dylech ofyn i chi eich hunan, 'Beth yw'r ochr arall?'

Gall y canlynol achosi problemau hefyd:

- Gellir newid dogfennau drwy dynnu geiriau allan neu roi rhai i mewn:
  E.e. Mae i'r frawddeg 'Roedd y weithred o achub milwyr o draethau Dunkirk yn waredigaeth orfoleddus' ystyr hollol wahanol os ydych yn rhoi'r gair 'nid' o'i blaen.
- Gellir ffugio ffynonellau:
  E.e. yn 1983, syfrdanwyd y byd academaidd gan 'ddarganfyddiad' Dyddiaduron Hitler ac fe'u cyfreswyd ar unwaith yn *The Sunday Times*. Pan archwiliwyd y dyddiaduron yn fforensig, datgelwyd eu bod yn ffug; eto i gyd, roeddent wedi twyllo nifer o haneswyr amlwg a oedd am gredu eu bod yn wir.
- Gellir dyfynnu ohonynt allan o'u cyd-destun neu gellir eu cam-ddyfynnu:
  E.e. Mae Aelodau Seneddol yn aml yn honni eu bod yn cael eu dyfynnu allan o gyd-destun, gan gyhuddo'r wasg o gymryd rhan o'u haraith neu gyfweliad a chanolbwyntio ar y rhan honno heb unrhyw gyfeiriad at yr hyn a ddywedwyd yn union o flaen llaw neu wedyn. Gall hyn newid yn ddramatig ystyr yr hyn a ddywedodd yr AS.

- Gellir eu copïo'n anghywir:
  E.e. Pan roddwyd Cyfrifiad 1901 ar-lein yn 2001, derbyniodd y Swyddfa Cofnodion Cyhoeddus negeseuon e-bost yn syth yn cwyno bod dogfennau gwreiddiol wedi'u trawsysgrifo'n wallus. Roedd llawer o'r gwaith wedi'i wneud yn India gan bobl nad oeddent yn gyfarwydd ag enwau Prydeinig na'u sillafiad. Gallai gwallau o'r fath effeithio ar haneswyr teulu sy'n hel achau.
- Gall darluniau fod yn hollol ddychmygol:
  E.e. Gellir comisiynu artistiaid i greu darlun o frwydr fel y ddelwedd hon o frwydr Morfa Rhuddlan, a ymladdwyd yn 795 OC, rhwng y Cymry a'r Sacsoniaid.

- Gellir newid ffotograffau yn fwriadol.

Mae'r ffotograff gwreiddiol hwn yn dangos Stalin (canol) yn cerdded wrth ymyl Nikolai Yezhov (de), sef pennaeth yr heddlu cudd. Ef oedd yn gyfrifol am ddelio â'r holl wrthwynebiad i Stalin.

Cyhoeddwyd y ffotograff hwn ychydig flynyddoedd wedi'r gwreiddiol. Yn 1938, arestiwyd Yezhov yn ystod y carthu dan orchymyn Stalin. Ar ôl i Yezhov golli grym, newidiwyd y llun hwn trwy ei dynnu ohono.

Eich tasg

Canfod gogwydd mewn ffynonellau hanesyddol a'r rhesymau amdano. Astudiwch y ffynonellau canlynol ac yna atebwch y cwestiynau sy'n dilyn.

Ffynhonnell A

Well I remember, how in early years,

I toil'd therein, with unavailing tears;

Condemn'd to suffer what I could not shun,

Till Sol seven times his annual course had run!

No bondage state – no inquisition cell,

Nor scenes yet dear to the Prince of Hell,

Could greater acts of cruelty display

Than yon tall factories on a former day;

E'en neighbouring forests frow'd with angry nods,

To see, Oppression! thy demand for rods!

Rods, doom'd to bruise in barb'rous dens of noise

The tender forms of orphan girls and boys!

Whose cries – which mercy in no instance found,

Were by the din of whirling engines drown'd.

But all is past! and may Treffynnon [Holywell] see

No more of fell Prestonian tyranny!

John Jones, '*Poems*' (Manceinion, 1856)

Fel plentyn ar ddechrau'r bedwaredd ganrif ar bymtheg, gweithiai John Jones, Llanasa ym melinau cotwm Cristopher Smalley, yn Nyffryn Maesglas, islaw Treffynnon yn Sir y Fflint. Roedd tad Smalley wedi symud o Sir Gaerhirfryn i Dreffynnon, sy'n egluro'r cyfeiriad at Preston.

Ffynhonnell B

'Mae'r holl felinau cotwm ar yr afon yn perthyn i'r Cotton Twist Company. Rwy'n ddyledus i Mr. Christopher Smalley, un o'r partneriaid, a mab hynaf sylfaenydd y ffatrïoedd mawr hyn, am y wybodaeth ganlynol amdanynt.

Mae gan y Cotton Twist Company rwng tri a phedwar cant o brentisiaid, ac mae'r cwmni yn eu dilladu a'u bwydo, mewn tai eang a adeiladwyd yn arbennig i'r diben hwnnw, gyda'r bechgyn a'r merched mewn tai ar wahân. Caiff y tai hyn eu gwyngalchu ddwywaith y flwyddyn, a'u mygdarthu deirgwaith yr wythnos drwy bob rhan, â mwg tybaco; ymhellach, caiff yr ystafelloedd cysgu eu glanhau ddwywaith yr wythnos, a chaiff fframiau'r gwelyau eu hysgeintio ag olew tar coeth yn aml. Mae rhannau uchaf holl ffenestri'r ystafelloedd gwely yn agor fel bod awel o wynt yn dod i mewn pan fydd y plant yn gweithio. Y rhagofalon hyn, ac eraill, sy'n gyfrifol am iechyd da cynifer o'r plant; ni fu llai na 300 o brentisiaid yma yn ystod y saith mlynedd diwethaf, ond saith yn unig a gladdwyd. Eu bwyd amser cinio yw cig eidion neu borc a thatws, neu gawl a bara a chaws, cymaint ag y dymunant ei fwyta. Eu brecwast a'u swper yn yr haf yw llaeth a bara; yn y gaeaf, pan na fydd llaeth ar gael, maent yn yfed uwd neu botes, gyda bara a chaws. Apwyntir llawfeddyg i arolygu eu hiechyd; ac mae meistr yn mynychu ysgol Sul ymhob tŷ yn rheolaidd.'

Thomas Pennant, *The History of the Parishes of Whiteford and Holywell* (1796, addasiad). Fel tirfeddiannwr yn ardal Treffynnon, roedd Pennant yn rhentu tir yn Nyffryn Maesglas i nifer o ddiwydianwyr ac roedd yn adnabod Christopher Smalley yn dda. Rhoddodd Smalley y wybodaeth hon i Pennant mewn llythyr.

Ffynhonnell C

Engrafiad yn dangos tair melin gotwm fawr yn Nyffryn Maesglas islaw eglwys plwyf Treffynnon. Roedd y melinau hyn yn cyflogi cannoedd o weithwyr – dynion, gwragedd a phlant. Ymddangosodd yr engrafiad hwn yng ngwaith Pennant *The History of the Parishes of Whiteford and Holywell* (1796).

Cwestiynau:

(a) Astudiwch Ffynonellau A-C. Cymharwch a chyferbynnwch y disgrifiadau o amodau byw a gweithio plant a gyflogwyd ym melinau cotwm Dyffryn Maesglas ar ddiwedd y ddeunawfed ganrif a dechrau'r bedwaredd ganrif ar bymtheg.

(b) Ym mha ffyrdd y mae'r ffynonellau yn arddangos elfennau o ogwydd wrth gofnodi amodau byw a gweithio yn y melinau cotwm? Allwch chi awgrymu rhesymau am ogwydd o'r fath?

(c) A yw'r ffynonellau sydd â gogwydd ynddynt o unrhyw werth i hanesydd sy'n astudio'r diwydiant cotwm yn Nyffryn Maesglas?

Pa fathau o werthusiad y bydd disgwyl i chi eu cyflawni ar Safon UG ac U?

1. Dealltwriaeth o gynnwys ffynhonnell

Cynlluniwyd y cwestiwn darllen a deall i brofi eich dealltwriaeth o gynnwys y ffynhonnell. Fel rheol, dyma fydd y cwestiwn cyntaf gyda'r dyraniad marc isaf. Os am lwyddo yn eich dealltwriaeth, mae'n rhaid i chi ofyn nifer o gwestiynau ynghylch y ffynhonnell:

- Beth yn union y mae'r ffynhonnell yn ei ddweud wrthym?
- Pa wybodaeth y gellir ei chasglu o'r priodoliad?

Edrychwch y tu hwnt i'r hyn sy'n amlwg a cheisiwch ddarllen rhwng y llinellau – beth allwch chi ei gasglu o'r ffynhonnell.

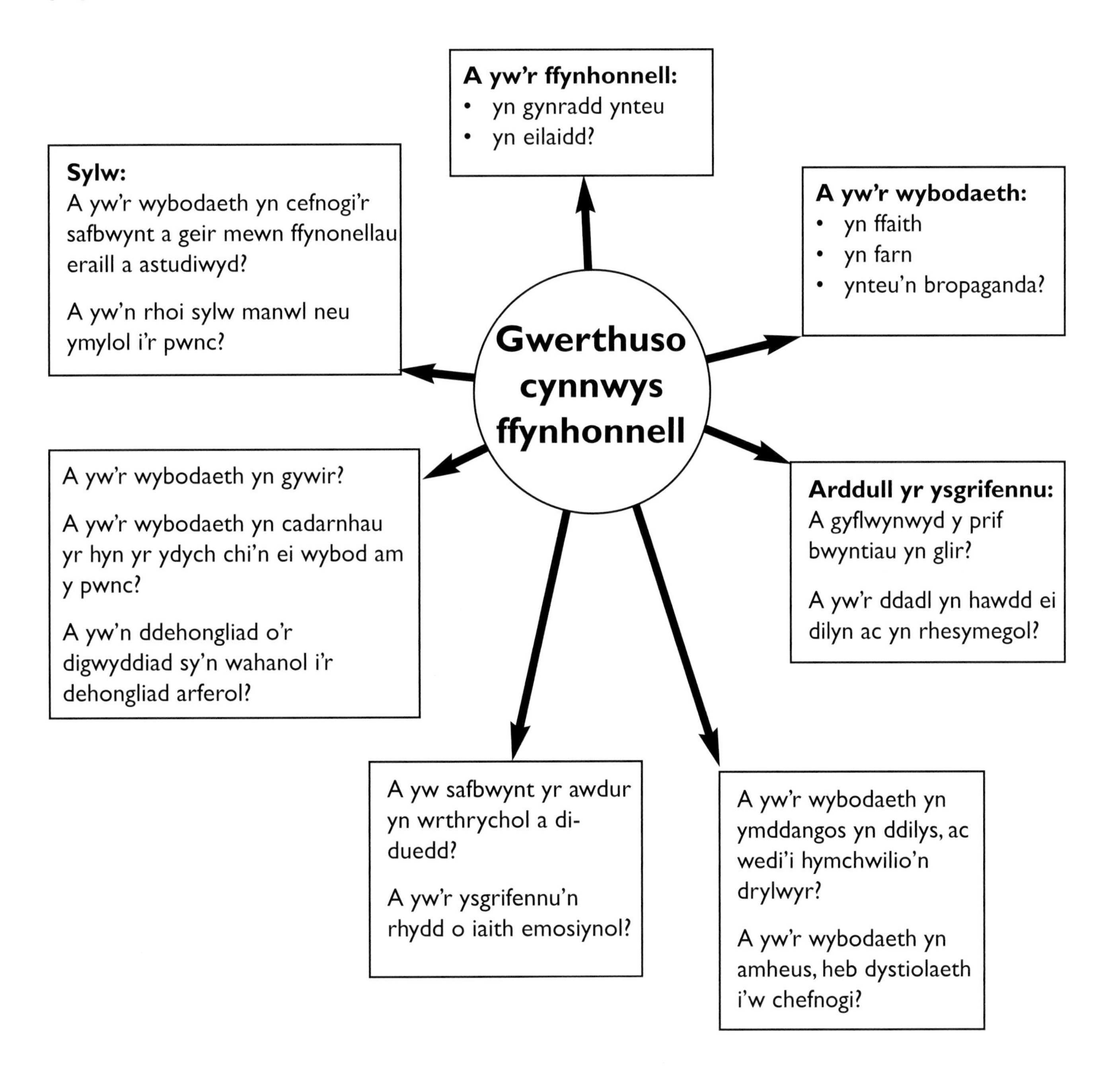

2. Gwerthuso priodoliad ffynhonnell

Gall tarddiad ffynhonnell effeithio'n fawr ar ei dibynadwyedd a'i defnyddioldeb ac mae'n rhaid gwerthuso hyn mor ofalus â'r cynnwys. Mae'r diagram isod yn rhoi crynodeb o sut y gellir gwneud hyn.

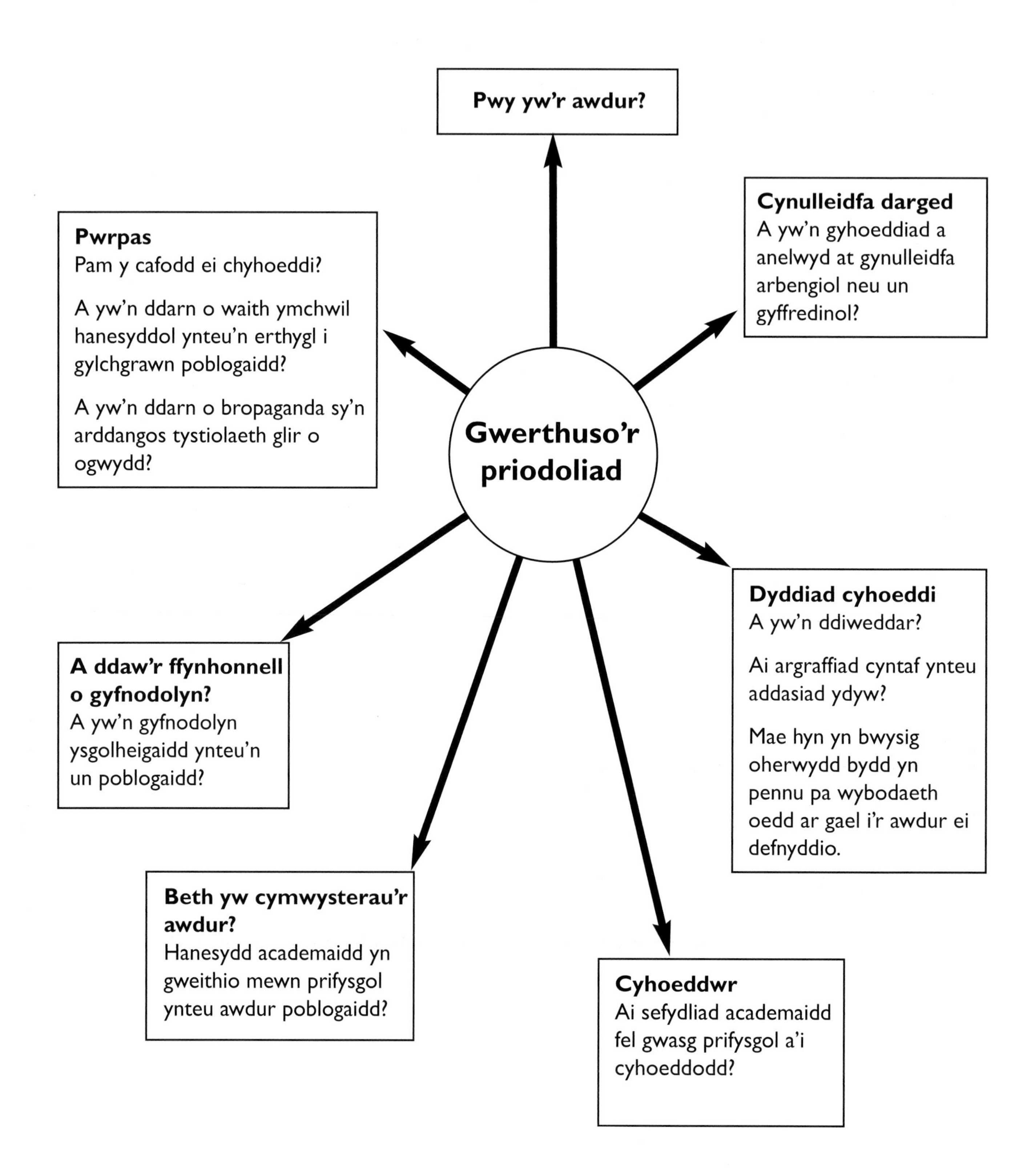

3. Gosod y ffynhonnell yn ei chyd-destun hanesyddol

Dyma un o'r gofynion allweddol wrth astudio hanes Safon UG ac U ac mae'n gofyn i chi archwilio'r ffynhonnell mewn perthynas â'r darlun ehangach. Mae gosod ffynhonnell yn ei chyd-destun hanesyddol yn golygu ei chysylltu â'r darlun llawn, gan archwilio ei lle a'i harwyddocâd yng nghronoleg ehangach digwyddiadau. Mae'n rhaid gofyn cwestiynau sylfaenol fel:

- A yw'r ffynhonnell yn darparu ffocws cul ynteu olwg eang o ddigwyddiadau?
- A yw'n canolbwyntio ar un mater ac yn hepgor materion eraill?
- A yw'n pwysleisio neu'n gor-ddweud un mater ar draul rhai eraill?
- A yw ei hymdriniaeth yn darparu dehongliad a anffurfiwyd o'r cyfnod amser neu'r digwyddiad?

Cymhariaeth

Gellir ystyried ffynhonnell fel un darn o bos jig-so mawr. Rhoddwyd i chi'r un darn hwnnw ac mae'n rhaid i chi ddangos sut mae'n perthyn i weddill y jig-so. Mae'n rhaid i chi fedru cysylltu'r darn hwnnw â'r 'darlun ehangach', sy'n gofyn am wybodaeth fanwl o'r cyfnod. Dyma beth a olygir wrth osod y ffynhonnell yn ei chyd-destun hanesyddol. Er enghraifft, gallai'r olygfa ar y jig-so ddangos Hitler yn atgyfnerthu ei rym fesul cam yn ystod 1933-1934. Rydych wedi cael darn o'r jig-so sy'n dangos un cam o'r broses atgyfnerthu hon fel y Ddeddf Alluogi. Bydd arnoch angen defnyddio eich gwybodaeth o'r testun hwn i ddangos nad yw'n rhoi'r darlun llawn ond un cam yn unig, ac nad yw'n dangos camau eraill pwysig fel tân y Reichstag, Noson y Cyllyll Hirion a'r weithred o greu swydd Führer. Os oes gennych chi wybodaeth dda o'r cyfnod hwn, byddwch yn gallu rhoi'r 'darlun ehangach' er mwyn cwblhau'r jig-so. Os nad oes gennych y wybodaeth gefndir hon, ni fyddwch yn gallu gwneud fawr mwy na chynnig sylwadau ar y ffynhonnell ei hun.

4. Ystyried defnyddioldeb ffynhonnell

Mae cwestiynau Safon UG ac U yn aml yn gofyn i ymgeiswyr ystyried defnyddioldeb darn o dystiolaeth. Wrth farnu defnyddioldeb, dylech ofyn cyfres o gwestiynau ymholgar ynglŷn â'r ffynhonnell.

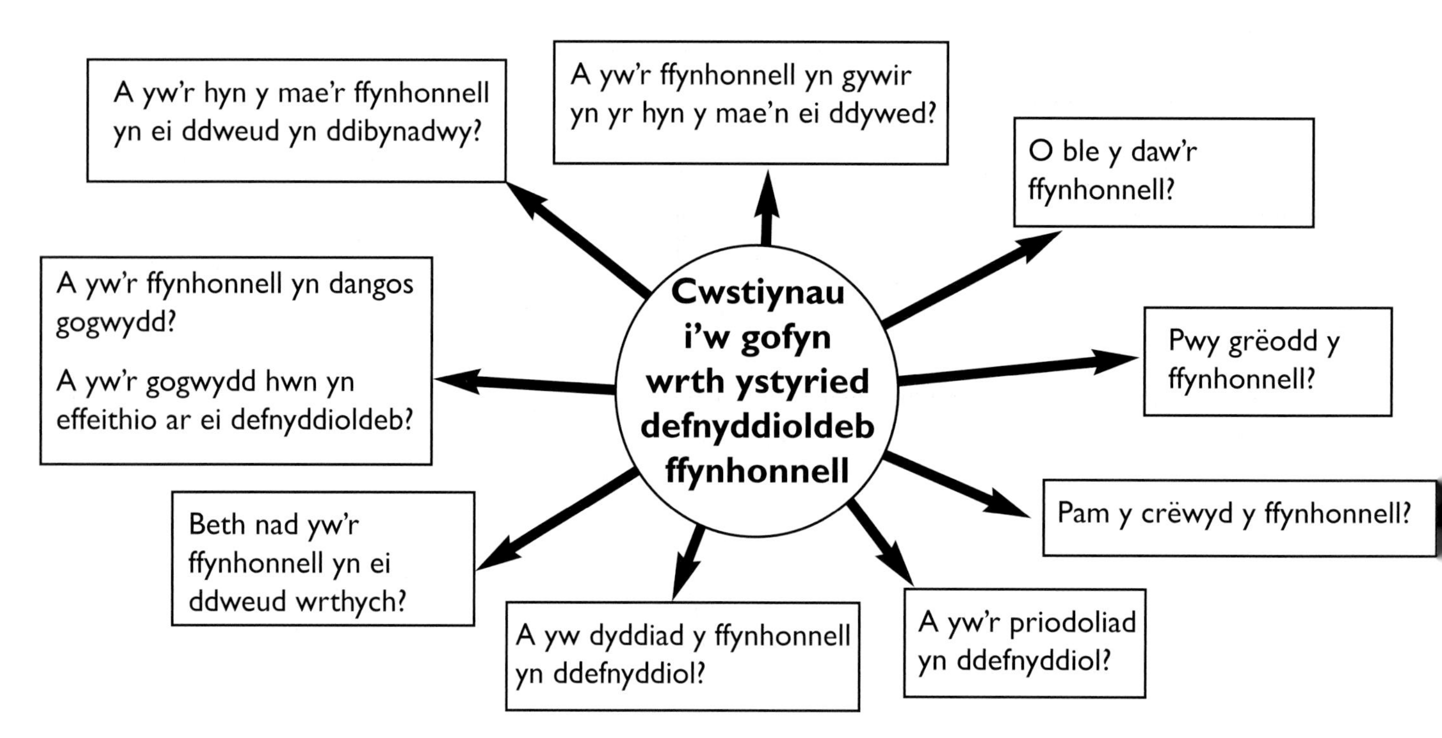

Eich tasg

'Mae'r cynnwrf wedi codi o wrthwynebiad dwfn at eglwys 'estron', ac yn cynnwys lleiafrif bychan yn unig o'r trigolion. Ystyrir hefyd bod talu'r degwm i'r Eglwys hon yn arwydd o goncwest, ac rydym yn benderfynol o ddiosg hwn cyn gynted â phosibl. Cyflwr amaethyddiaeth yw achlysur y cynnwrf hwn, nid ei achos – gyda'r ffermwyr yn gorfod chwilio am ostyngiadau yn eu rhenti a'r degwm i arbed eu hunain rhag trallod pellach. Mae'n hollol gyfiawn iddynt apelio ar y clerigwyr yn ogystal â'u tirfeddianwyr am ostyngiadau. Y clerigwyr hynny sydd wedi gwrthod caniatáu apeliadau'r ffermwyr ac sydd wedi meddiannu eu stoc a gwrthod eu gwerthu mewn ocsiwn gyhoeddus, sy'n bennaf gyfrifol am yr aflonyddwch hwn … Mae awdurdodau'r Eglwys wedi sarhau a gwylltio fy nghydwladwyr trwy alw am gymorth y Lluoedd Arfog a'r Heddlu i'w hamddiffyn wrth fynnu eu bod yn talu'r degwm yn llawn.'

Tystiolaeth a roddwyd gan Thomas Gee gerbron Pwyllgor Ymchwilio i Gynnwrf y Degwm yng Nghymru yn 1887. Roedd Gee yn bregethwr Anghydffurfiol mewn Capel Calfinaidd Cymraeg yn Ninbych, ac roedd hefyd yn olygydd papur newydd radical, a oedd yn argraffu erthyglau yn galw ar ffermwyr lleol i wrthwynebu talu'r degwm.

Defnyddiwch y cwestiynau a restrwyd yn y diagram uchod i ystyried defnyddioldeb y ffynhonnell hon i hanesydd sy'n ymchwilio i achosion Rhyfel y Degwm yng ngogledd-ddwyrain Cymru yn yr 1880au hwyr.

5. Ystyried dibynadwyedd ffynhonnell

Yn Safon UG ac U, bydd disgwyl i chi asesu dibynadwyedd ffynhonnell fel darn o dystiolaeth. Wrth ystyried dibynadwyedd, dylech ystyried y canlynol:

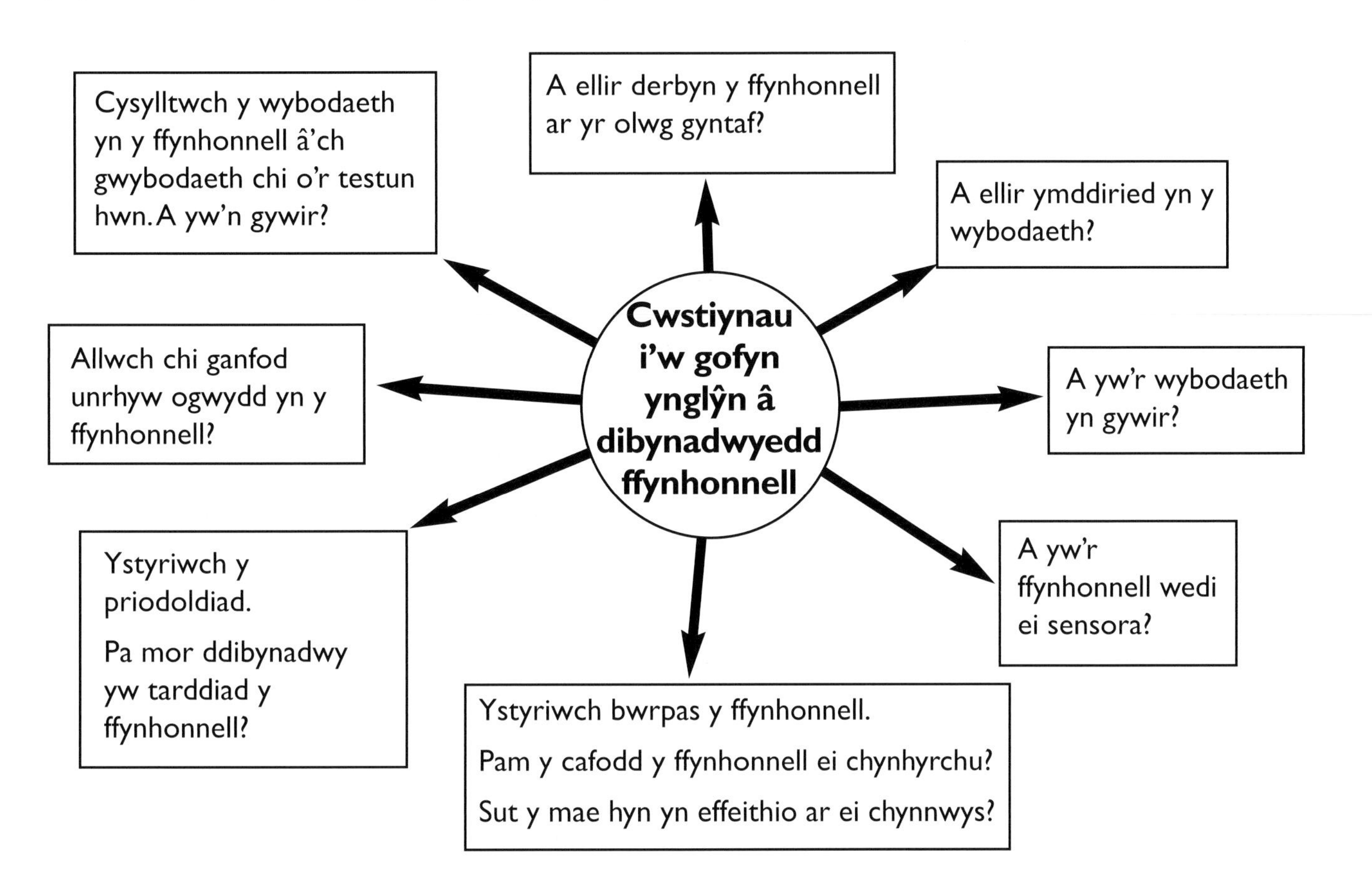

6. Cymharu a chroesgyfeirio ffynonellau

Bydd disgwyl i ymgeiswyr wneud cymariaethau rhwng ffynonellau, i adnabod nodweddion tebyg a gwahanol. Gelwir hyn yn groesgyfeirio. Mae'n golygu llunio casgliadau o'r ddwy ffynhonnell a gweithio allan beth y mae awduron y ffynonellau yn ei awgrymu. Wrth groesgyfeirio ffynonellau, y dull gorau yw:

- Darllen y ddwy ffynhonnell yn ofalus, gan danlinellu geiriau, termau neu ymadroddion allweddol;
- Defnyddio'r geiriau allweddol hyn yn yr ateb;
- Osgoi copïo darnau maith o'r ffynhonnell; dyfynnwch ddarnau byr o frawddeg i ddarlunio neu ddangos ystyr yr awdur;
- Sicrhau bod y darllenydd yn ymwybodol o'r ffynhonnell yr ydych yn cyfeirio ati gan ddefnyddio ymadroddion fel 'Mae Ffynhonnell A yn awgrymu bod ...' neu 'Cred awdur Ffynhonnell B fod ...'
- Archwilio priodoliadau y ddwy. Nodwch ddyddiadau'r ddwy ffynhonnell, a ydynt yn ffynonellau cynradd ynteu eilaidd, pwy a'u hysgrifennodd?
- Ystyried a yw safbwynt yr awdur yn awgrymu unrhyw ogwydd posibl yn y ffynhonnell.

Rhowch brawf ar eich dealltwriaeth o'r bennod hon

Darllenwch bob un o'r gosodiadau a restrir isod, a nodwch a ydych yn credu eu bod yn gywir ynteu'n anghywir, gan roi rhesymau llawn am eich penderfyniad.

Gosodiad	Cywir	Anghywir	Rhesymau am eich ateb
Mae adroddiadau llygad dystion bob amser yn fwy defnyddiol na'r rhai a ysgrifennir gan haneswyr			
Nid yw ffynonellau sydd â gogwydd ynddynt o unrhyw werth i'r hanesydd			
Nid oes unrhyw werth i gartwnau gan eu bod bob amser yn unochrog			
Mae ffotograffau bob amser yn gynrychioliad gwir o'r hyn a ddigwyddodd			
Mae'n haws ymddiried yng ngwaith haneswyr gan eu bod yn debygol o fod wedi cynnal gwaith ymchwil			
Nid yw ffotograff ond yn ddefnyddiol os ydych yn gwybod yn union ble y'i tynnwyd a chan bwy			
Mae llythyrau at gyfeillion yn debygol o gynnwys gwir deimladau person			
Dyddiaduron yw'r ffynonellau gwybodaeth gorau i'r cofiannwr			
Ni ellir dibynnu ar wybodaeth a geir o'r rhyngrwyd i fod yn gywir			
Nid yw nofelau hanesyddol o unrhyw werth i'r hanesydd			
Mae papurau newydd yn darparu tystiolaeth o'r hyn roedd pobl yn ei feddwl bryd hynny			

Gosodiad	Cywir	Anghywir	Rhesymau am eich ateb
Ni ellir dibynnu ar ystadegau'r llywodraeth			
Gellir ymddiried mewn llyfrau hanes i roi golwg cytbwys ar ddigwyddiadau			
Mae pob ffynhonnell yn dangos gogwydd mewn rhyw ffordd neu'i gilydd			
Mae areithiau fel rheol yn dangos gogwydd gan eu bod yn ceisio perswadio cynulleidfa			
Nid oes llawer o werth mewn hanes llafar i'r hanesydd			
Mae cyffesiadau gwely angau bob amser yn wir			
Ni fydd ffynhonnell yn ddefnyddiol oni bai ei bod yn ddibynadwy			
Nid yw darluniadau sy'n ddychmygol o unrhyw werth i'r hanesydd			

PENNOD PEDWAR

ARDDANGOS SGILIAU'R HANESYDD

Dehongliadau a chynrychioliadau

Dehongli ysgrifennu hanesyddol

Ysgrifennodd Richard Cobb, un o brif haneswyr y Chwyldro Ffrengig, mai prif nod yr hanesydd 'yw gwneud i'r meirw fyw'. Er mwyn cyflawni hyn, mae'n rhaid i haneswyr ymchwilio i'r gorffennol, a chan ddefnyddio'r dystiolaeth sydd ar gael iddynt, wneud dyfarniadau a thybiaethau rhesymegol ynghylch pam a sut y digwyddodd pethau yn y modd y gwnaethant. Wrth wneud hyn, maent yn dehongli'r gorffennol. Mae'n broses o fyfyrio, gan edrych yn ôl ar ddigwyddiadau â chymorth ôl-welediad.

Gall y modd y mae un hanesydd yn dehongli digwyddiad fod yn wahanol iawn i'r modd y mae hanesydd arall yn dehongli'r un digwyddiad. Yn Safon UG ac U, bydd disgwyl i chi ddeall **y broses o sut a pham** y mae hanesydd wedi dod i ddehongliad penodol. Wrth wneud hyn, byddwch yn ymdrin â gofynion allweddol **Amcan Asesu 2b**, sy'n gofyn i chi:

'... mewn perthynas â'r cyd-destun hanesyddol, ddadansoddi a gwerthuso sut y cafodd agweddau o'r gorffennol eu dehongli a'u portreadu mewn ffyrdd gwahanol.'

Bydd llawer o'r pynciau y byddwch yn eu hastudio yn eich cwrs Safon UG ac U wedi cynhyrchu cryn dipyn o ddadlau, a bydd haneswyr wedi ffurfio amrywiaeth eang o ddehongliadau amdanynt. Eich tasg chi fydd arddangos ymwybyddiaeth a dealltwriaeth o'r prif ddadleuon ymysg haneswyr yn y maes yr ydych yn ei astudio, a bydd disgwyl i chi werthuso'r dadleuon o blaid ac yn erbyn dehongliadau penodol. Byddwch ar sawl golwg yn gweithredu fel barnwr, yn clywed y dadleuon amrywiol ac yn rhoi crynodeb ohonynt, cyn penderfynu ar eich safbwynt chi eich hun.

Ar sawl golwg, mae'r broses y byddwch yn mynd trwyddi wrth ddadansoddi a gwerthuso sut a pham y mae digwyddiad arbennig wedi cael ei ddehongli'n wahanol, yn debyg i'r hyn sy'n digwydd yn Llys y Goron. Mae rheithgor o ddeuddeg person yn eistedd ar ochr y llys ac yn gwrando ar ddehongliad o ddigwyddiadau a gyflwynir gan ddau fargyfreithiwr, un ar ran yr amddiffyniad, a'r llall ar ran yr erlyniad. Byddant yn cyflwyno dehongliadau gwahanol, os nad gwerthgyferbyniol, o sut a pham y digwyddodd pethau yn y modd y gwnaethant. Ar ddiwedd y ddau gyflwyniad bydd y barnwr yn rhoi crynodeb i'r rheithgor ac yn amlinellu pwyntiau allweddol dwy ochr yr achos. Caiff y rheithgor wedyn eu hanfon ymaith a gofynnir iddynt benderfynu pa ddehongliad o'r digwyddiadau y credant yw'r un mwyaf cywir.

Yn Safon UG ac U, bydd disgwyl i chi ymddwyn fel y barnwr hwn yn Llys y Goron, gan ddarparu i'r arholwr eglurhad rhesymegol o sut a pham y daethpwyd at ddehongliadau penodol. Bydd gofyn i chi hefyd ddarparu eich dyfarniad rhesymegol ynghylch pa ddehongliad y credwch chi yw'r un mwyaf cywir. Yn wahanol i lys barn, fodd bynnag, bydd haneswyr weithiau yn wynebu mwy na dau ddehongliad.

Cyn symud ymlaen ymhellach, byddai'n ddefnyddiol diffinio beth a olygir gan y termau dehongliad a chynrychioliad.

Beth yw dehongliad?

Mae Geiriadur Prifysgol Cymru yn diffinio dehongliad fel 'Eglurhad neu amlygiad i'r deall (o ryw ddirgelwch)'. Dyma'r weithred o ddehongli sut a pham y digwyddodd pethau yn y modd y gwnaethant.

E.e. Egluro pam y cychwynnodd Rhyfel Cartref yng Nghymru a Lloegr yn 1642.

Beth yw cynrychioliad?

Mae cynrychioliad wedi'i ddiffinio fel ymgais i roi argraff o agwedd ar hanes.

E.e. Ailgread o frwydr gan gymdeithas y *Sealed Knot* neu ddetholiad amgueddfa o arteffactau i gynrychioli golygfa o'r gorffennol.

Yn hyn o beth, mae dehongliadau a chynrychioliadau yn geisiadau bwriadol i egluro'r gorffennol. Mae esboniadau o'r fath yn seiliedig ar ystod eang o ddeunydd ffynhonnell fel darluniau, ffotograffau, ffilmiau, dramâu, adroddiadau llafar, olion ffisegol fel adeiladau a safleoedd, amgueddfeydd, safbwynt ystyriol haneswyr yn ogystal ag adroddiadau gan bobl sy'n cofio digwyddiadau o'r gorffennol. Mae'n bosibl na fydd atgofion pobl sy'n cofio digwyddiadau o'r fath mor drefnus neu ystyriol â safbwynt hanesydd academaidd, ond maent yn dal i fod yn ddilys. Nodwedd hanfodol unrhyw ddehongliad neu gynrychioliad yw ei fod yn ymgais fwriadol gan yr awdur, artist, cynhyrchydd ayb i gyflwyno golwg arbennig o'r gorffennol. Gall hwn fod yn wahanol iawn i olwg eraill.

Wrth ystyried sut a pham y ffurfiwyd dehongliadau neu gynrychioliadau o'r fath, mae'n bosibl y bydd angen i chi ymestyn eich ymchwiliad ymhellach i ystyried hanesyddiaeth. Bydd hyn yn gofyn i chi archwilio sut y mae haneswyr wedi cynnig dehongliadau gwahanol a'r rhesymau am y gwahaniaethau hynny. Mae'n bosibl eu bod yn ysgrifennu ar adegau gwahanol neu efallai bod eu dehongliadau yn adlewyrchu safbwynt gwleidyddol, crefyddol neu economaidd y maent yn teimlo'n gryf amdano. Ni allwch lunio dyfarniad ar ddefnyddioldeb a dibynadwyedd dehongliad neu gynrychioliad fel darn o dystiolaeth hanesyddol heb fynd drwy'r broses ymchwilio hon.

Hanesyddiaeth

Mae hanesyddiaeth yn bwysig ar Safon UG ac U. Dyma astudiaeth o sut y mae hanes digwyddiad arbennig wedi cael ei ysgrifennu, a sut y mae cenedlaethau olynol o haneswyr wedi ail-ddehongli'r gorffennol, gan wahaniaethu'n sylweddol ar adegau.
E.e. Mae gan haneswyr safbwyntiau gwahanol iawn ynghylch sut y cyfarwyddodd y cadlywyddion yr ymdrech ryfel ar y Ffrynt Gorllewinol yn ystod y Rhyfel Byd Cyntaf, a bydd y safbwyntiau hynny wedi newid dros y degawdau neu wrth i genedlaethau gwahanol o haneswyr astudio'r dystiolaeth.

Mae asesiadau Safon UG ac U ar ddehongliadau a chynrychioliadau yn debygol o'ch annog i ganolbwyntio ar:

- Y broses o lunio'r dehongliad neu gynrychioliad;
- Y deunydd ffynhonnell sydd ar gael i'r sawl sy'n llunio'r dehongliad neu gynrychioliad;
- Sut yr effeithiwyd ar y dehongliad neu'r cynrychioliad hwn gan safbwyntiau neu werthoedd yr hanesydd neu'r artist a'i lluniodd;

- Cyd-destun y gwaith – y dyddiad y cafodd ei gynhyrchu; pwy a'i cynhyrchodd a'r amgylchiadau y'i cynhyrchwyd ynddynt;
- Pwrpas y gwaith – pam y cafodd ei gynhyrchu, a gafodd ei gomisiynu neu gwaith llaw rydd ydoedd?
- Y gynulleidfa darged – ar gyfer pwy y cafodd ei gynhyrchu, ai ar gyfer cynulleidfa cyffredinol ynteu gynulleidfa arbenigol?
- Dilysrwydd, neu ddiffyg dilysrwydd y gwaith hwn.

Bydd y Cyrff Dyfarnu yn gosod tasgau amrywiol i roi prawf ar eich dealltwriaeth a'ch gallu i gymhwyso'r dulliau a'r prosesau uchod. Gallai'r rhain gynnwys dadansoddi a gwerthuso ffynonellau, yn ysgrifenedig ac yn weledol, mewn ymgais i'ch annog i adnabod ac egluro'r dehongliadau. Gallai olygu eich bod yn gwerthuso cynrychioliad penodol fel nofel, ffilm neu ail-gread, neu gallai ofyn i chi ystyried gwahanol ddehongliadau neu gynrychioliadau o'r un digwyddiad neu safle, boed yn ystyriaeth o fyfyrdodau cyfoes neu ddiweddarach neu'r ddau. Mae'n bosibl y bydd ymarferion o'r fath yn gweddu fwy i ymchwiliadau asesu mewnol yn hytrach nag asesiadau ysgrifenedig dan amodau arholiad, gan y bydd hyn yn rhoi mwy o gyfle i gynnal dadansoddiad a gwerthusiad dyfnach.

Ymdrin â chynrychioliadau

Beth bynnag fo'r cynrychioliad, byddai ei grëwr, boed yn awdur, gwneuthurwr ffilm, artist neu guradydd amgueddfa, wedi mynd trwy broses o ymchwilio ac archwilio er mwyn casglu tystiolaeth ar gyfer cynhyrchu'r ddelwedd weledol neu ysgrifenedig honno. Wrth werthuso cywirdeb y cynrychioliad hwnnw, mae'n bwysig eich bod yn gofyn sawl cwestiwn i chi eich hun ynghylch sut y cafodd ei greu.

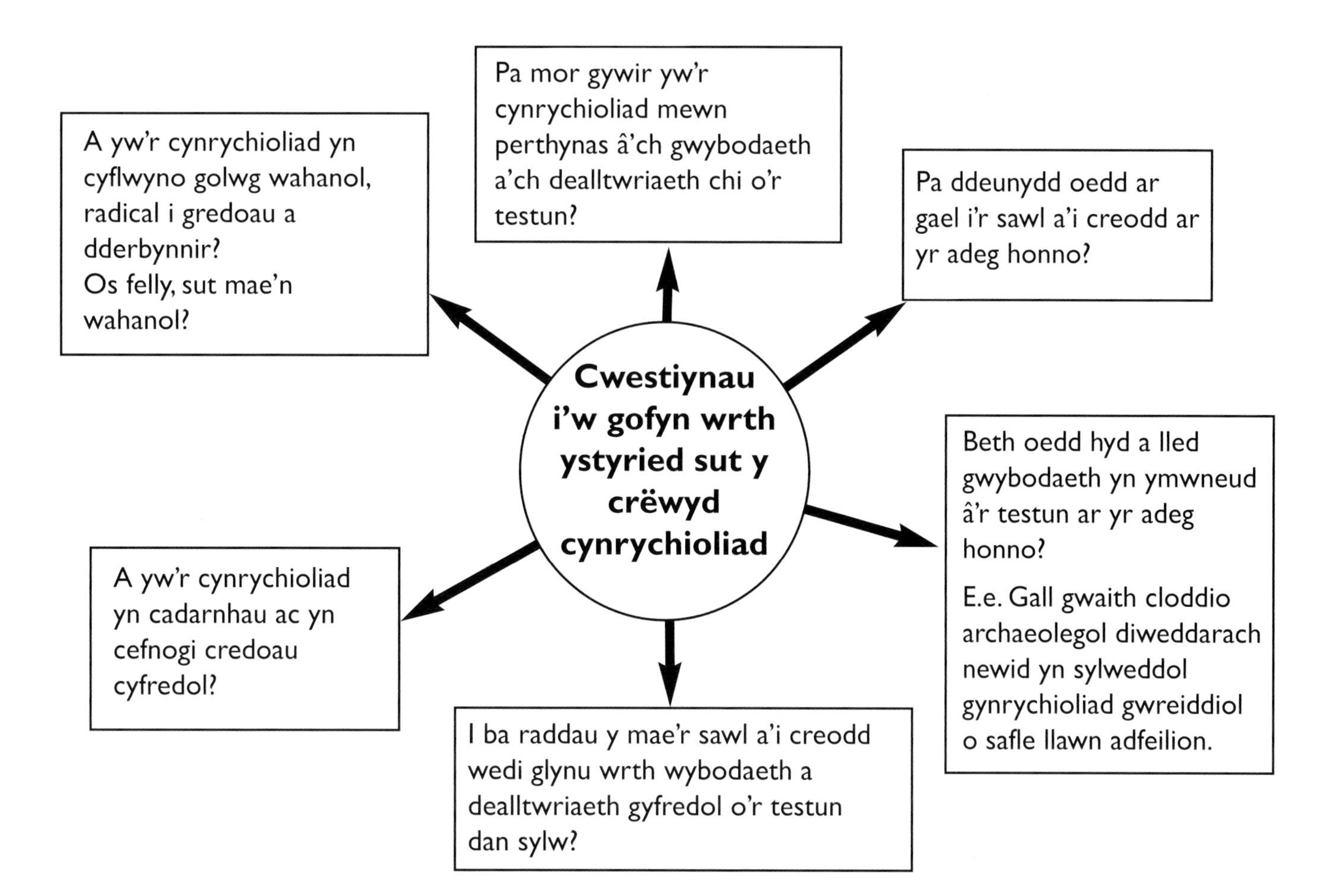

Wrth ystyried pa mor ddefnyddiol a dibynadwy yw cynrychioliad i hanesydd, mae felly'n bwysig iawn eich bod yn archwilio'r broses o'i greu, fel y gwelir yn yr enghraifft ganlynol o'r amffitheatr Rufeinig yng Nghaerllion:

Enghreifftiau o greu cynrychioliad gweledol o dystiolaeth archaeolegol:

Yr amffitheatr Rufeinig yng Nghaerllion

Ffotograff o waith cloddio Mortimer Wheeler yn amffitheatr Caerllion yn 1927.

Cynrychioliad Alan Sorrell o'r amffitheatr yng Nghaerllion. Crëwyd y ddelwedd hon yn yr 1930au cynnar yn dilyn gwaith cloddio Mortimer Wheeler.

Argraffiad artist o amffitheatr Caerllion fel y gallai fod wedi ymddangos ar ddiwedd y ganrif gyntaf OC. Lluniodd John Banbury y cynrychioliad hwn ar gyfer arweinlyfr Cadw o'r safle, a gyhoeddwyd ar ddiwedd yr 1990au.

Rhwng 1926 ac 1927, cloddiodd yr archaeolegydd Mortimer Wheeler yn eang yng Nghaerllion i ddatgelu ei amffitheatr Rufeinig; bu V.E. Nash-Williams o Amgueddfa Genedlaethol Cymru wrthi'n cloddio hefyd yn ddiweddarach. Roedd yr amgueddfa yn awyddus i arddangos ei darganfyddiadau i'r cyhoedd, a chomisiynwyd yr artist graffig Alan Sorrell i greu cynrychioliad gweledol o sut y byddai'r amffitheatr wedi edrych yng nghyfnod y Rhufeiniaid yn seiliedig ar yr olion archaeolegol oedd i'w gweld yno. Er mwyn cwblhau ei ddelwedd weledol, cynhaliodd Sorrell waith ymchwil eang yn ogystal â derbyn gwybodaeth ac arweiniad arbenigol gan yr archaeolegwyr.

Ers y cyfnod y crëodd Alan Sorrell ei ddelwedd cafodd y safle ei gloddio ymhellach. Mae'r wybodaeth a gafwyd o'r gwaith cloddio hyn a gwybodaeth gymharol a gasglwyd o safleoedd tebyg mewn trefi Rhufeinig ar hyd y wlad, wedi achosi i archaeolegwyr newid eu meddyliau ynghylch sut yr adeiladwyd yr adeilad. Yn y blynyddoedd diwethaf, bu datblygiadau sylweddol mewn dulliau gwyddonol fel y defnydd o geoffiseg, sef math o radar sy'n plotio gosodiad y waliau a'r rwbel sy'n gorwedd o'r golwg o dan yr wyneb, a'r defnydd o ddyddio Carbon-14 i roi cronoleg mwy manwl. Dangosodd waith cloddio yn 1962 mai uwchadeiledd pren oedd gan yr amffitheatr, ac fe ymgorfforodd John Banbury, artist graffig a gomisiynwyd gan Cadw i baratoi darluniadau i'w arweinlyfr newydd ar yr olion Rhufeinig yng Nghaerllion, y darganfyddiad diweddarach hwn. Felly, mae ei gynrychioliad ef yn wahanol i un Sorrell.

Eich tasg

(a) Pam mae cynrychioliadau'r artistiaid Sorrell a Banbury yn wahanol yn eu darluniau o'r amffitheatr yng Nghaerllion?

(b) A yw cynrychioliad Sorrell a luniwyd yn yr 1930au o unrhyw werth i'r hanesydd modern?

Caiff ffilmiau eu defnyddio weithiau fel erfyn addysgol i helpu i ddarlunio cyfnod neu ddigwyddiad penodol mewn amser. Er enghraifft, dangosir y ffilm *All Quiet on the Western Front* neu *Hedd Wyn* yn aml i Flwyddyn 9 i roi darlun iddynt o'r amodau a wynebai'r milwyr Prydeinig yn y ffosydd yn Fflandrys. Gellid dangos y rhaglen olaf yn y gyfres *Blackadder Goes Forth* iddynt hefyd, a gellid gofyn iddynt roi prawf ar gywirdeb y cynrychioliadau y maent wedi'u gweld o'u cymharu â'u gwybodaeth a'u dealltwriaeth hwy o'r testun. Gellid gofyn iddynt ystyried pam y mae'r cynrychioliadau yn wahanol a bydd hyn yn peri iddynt ystyried cymhellion y crëwr a'r gynulleidfa darged. Gellid gofyn iddynt hefyd ystyried proses ymchwilio'r gwneuthurwr wrth iddo archwilio'r digwyddiadau cyn gwneud y ffilm neu'r rhaglen.

Byddai'r broses hon yn digwydd mewn modd llawer mwy soffistigedig a manwl ar Safon U. Yn hytrach na defnyddio ffilm, gellid trefnu ymweliad ag amgueddfa i archwilio a yw ail-gread neu ddetholiad o grŵp o arteffactau yn rhoi cynrychioliad cywir o'r olygfa y mae'n honni ei bod yn ei darlunio. Er enghraifft, gallwch ymweld â Big Pit ym Mlaenafon ac ymholi a yw'n rhoi cynrychioliad cywir o amodau gweithio glowyr Cymreig yn ystod blynyddoedd cynnar yr ugeinfed ganrif.

Pam mae haneswyr yn cynnig dehongliadau gwahanol?

Wrth ymchwilio i'r gorffennol, mae'n bosibl y bydd haneswyr yn cael gafael ar wahanol ddeunyddiau a gall hyn effeithio'n ddirfawr ar y dyfarniadau a'r casgliadau y byddant yn eu llunio. Mae'n bosibl y byddant yn ysgrifennu o safbwynt arbennig, boed yn wleidyddol, yn grefyddol, yn ddiwylliannol neu'n gymdeithasol. Yn y cyd-destun hwn, bydd eu safbwyntiau hwy yn effeithio ar eu gwerthusiad o ffynonellau a'u detholiad o'r rhai mwyaf gwerthfawr. Mae'n bosibl eu bod yn targedu cynulleidfaoedd penodol ac felly byddent yn gogwyddo eu dehongliad yn sgil hynny. Gallent hefyd fod yn ysgrifennu yn ystod gwahanol gyfnodau o hanes, gan felly adlewyrchu safbwyntiau arbennig y cyfnod hwnnw.

Enghraifft: Sut y mae haneswyr wedi ymdrin ag achosion y Chwyldro Ffrengig yn 1789?

Meddiannu'r Bastille

Ni ellir dadlau yn erbyn y ffaith sylfaenol y bu chwyldro yn Ffrainc yn 1789 a arweiniodd at gwymp y frenhiniaeth a newid sylfaenol yng nghyfeiriad gwleidyddol y wlad, a arweiniodd yn ei dro at sefydlu gweriniaeth. Fodd bynnag, gellir dadlau ynghylch achosion y digwyddiadau dramatig hyn a pham y datblygodd y digwyddiadau yn y modd y gwnaethant. Er 1789, mae haneswyr wedi dehongli achosion y chwyldro mewn gwahanol ffyrdd, gan ddibynnu'n aml a ydynt yn cymeradwyo ynteu'n beirniadu'r chwyldro.

Dehongliad Marcsaidd

Mae haneswyr Marcsaidd yn gweld y Chwyldro fel cyfres o frwydrau'n seiliedig ar ddosbarth a arweiniodd at dwf yr hyn a alwai Karl Marx yn broleteriat neu ddosbarth gweithiol. Y safbwynt hwn a ddylanwadai ar y modd y gwelwyd achosion y Chwyldro drwy gydol hanner cyntaf yr ugeinfed ganrif. Prif hanesydd y dehongliad hwn oedd Georges Lefebvre, ac yn ei farn ef, roedd y Chwyldro yn chwyldro bourgeois. O ganlyniad i'r Chwyldro Diwydiannol a datblygiad economaidd cysylltiol, roedd y bourgeoisie neu ddosbarth canol wedi dod yn gorff grymus, ond roedd dosbarth grymus a breintiedig y pendefigion Ffrengig yn amharod i'w croesawu i'r maes gwleidyddol. Roedd Albert Soboul a George Rude yn haneswyr eraill adain-chwith a gefnogai'r 'dehongliad cymdeithasol' hwn.

Dehongliad Adolygiadol

Mae haneswyr adolygiadol sydd wedi bod yn ysgrifennu er yr 1950au wedi gwrthod y dehongliad sosialaidd o ryfel dosbarth. Maent yn hytrach wedi tueddu i ganolbwyntio ar bwysigrwydd ffactorau gwleidyddol fel prif achos y Chwyldro. Maent wedi dadlau bod digwyddiadau fel Rhyfel Annibyniaeth America wedi helpu i ddylanwadu ar y philosophes Ffrengig i fynnu mwy o newid democrataidd o fewn Ffrainc. Dyma oedd oes y Goleuo, a helpodd athronwyr fel Rousseau i danseilio sicrwydd yr Ancien Regime (y system lywodraethol sefydliadol) trwy alw am ddiwygiad. Alfred Cobban, Athro Hanes ym Mhrifysgol Llundain, oedd y cyntaf i gynnig dehongliad adolygiadol o'r fath yn yr 1950au a'r 1960au cynnar, a gwelwyd haneswyr diweddarach fel Francois Furet yn datblygu ei syniadau ymhellach yn yr 1970au.

Dehongliadau mwyaf diweddar

Dros y ddau ddegawd diwethaf, mae rhai haneswyr wedi dechrau camu'n ôl o'r dehongliad Adolygiadol, ac wedi canfod gwendidau yn y ddau ddehongliad a amlinellwyd uchod. Yn yr 1990au, ceisiodd yr hanesydd Gwynne Lewis lunio synthesis o'r ddau ddehongliad. Yn ei lyfr *The French Revolution: Rethinking the Debate*, cyfeiria at wendidau yn nadleuon y pwyslais Marcsaidd ar ffactorau cymdeithasol ac economaidd, a hefyd yn y pwyslais Adolygiadol ar ffactorau diwylliannol a gwleidyddol fel prif achosion y Chwyldro. Yn ôl Lewis a'i gefnogwyr, roedd yr achosion yn niferus ac amrywiol, ac yn gyfuniad o'r ffactorau a dynnwyd o'r ddau brif ddehongliad.

Eich tasg

Beth yw'r prif ddehongliadau hanesyddol neu'r credoau cyffredin i'r cyfnod yr ydych chi'n ei astudio ar hyn o bryd yn UG neu U2?

Mae felly'n bwysig eich bod yn gallu adnabod safbwynt hanesydd y ffynhonnell yr ydych yn ei hastudio er mwyn gallu gwerthuso'n feirniadol ei ddehongliad a'i osod yn ei gyd-destun. Bydd y wybodaeth a fydd yn eich galluogi i gyflawni'r dasg hon yn y priodoliad, sef y cyfeiriad islaw'r ffynhonnell sy'n nodi'r awdur, yn enwi'r cyhoeddiad o ble y daw'r ffynhonnell, ac yn nodi'r dyddiad cyhoeddi.

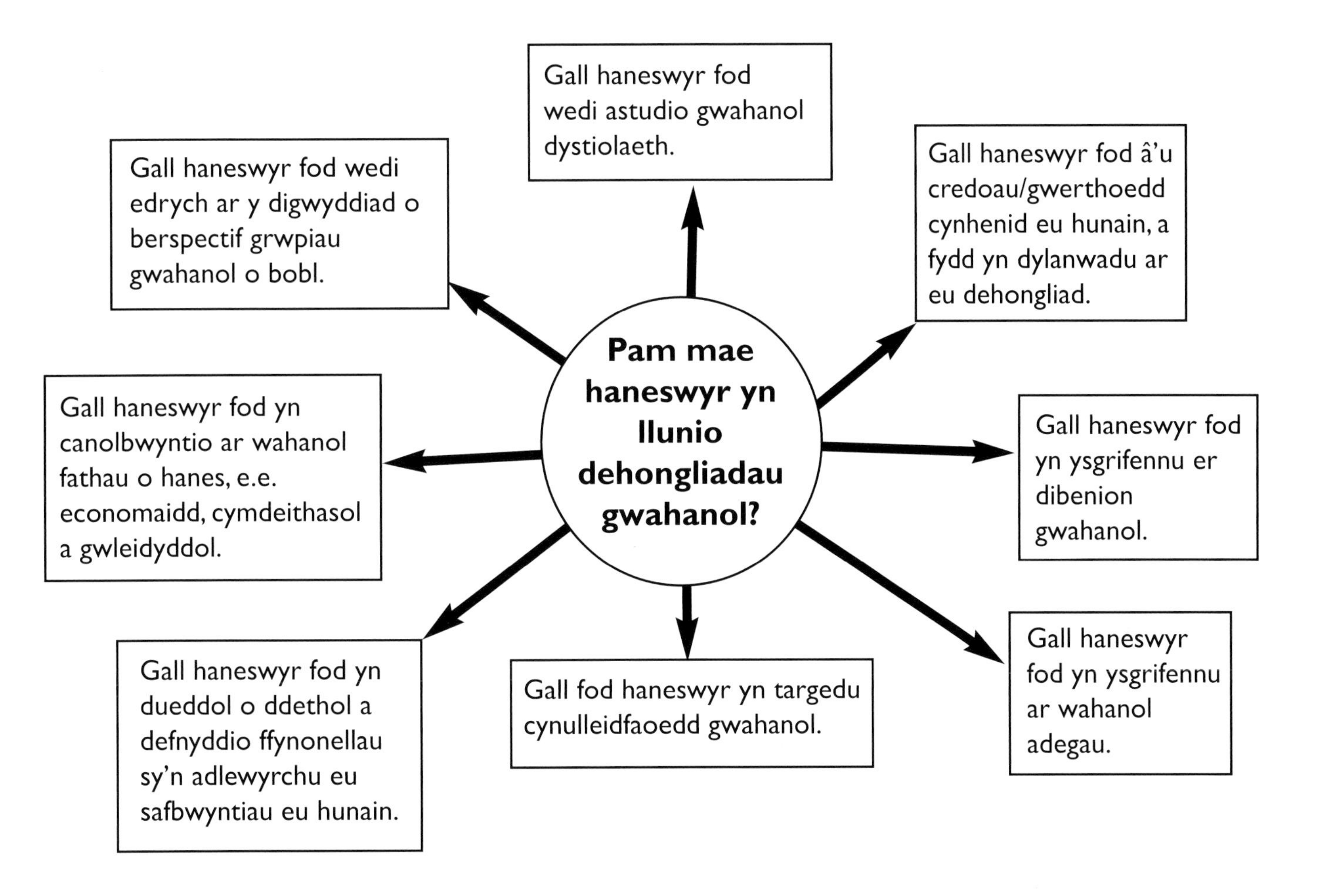

Eich tasg

Allwch chi ganfod unrhyw ffactorau eraill a all ddylanwadu ar y dehongliad y bydd hanesydd yn ei fabwysiadu?

Ffactorau a all ddylanwadu ar y dehongliad a ffurfir gan hanesydd

1. Y deunydd sydd ar gael

Bydd hanesydd da yn ceisio datgelu'r holl dystiolaeth sydd ar gael, ond bydd hyn yn dibynnu ar y lle a'r adeg y mae'n ysgrifennu ynddynt. Gall nifer o ffactorau ddylanwadu ar argaeledd deunydd a gall hyn yn ei dro ddylanwadu'n fawr ar y dehongliad a gyflwynir, fel y gwelir yn yr enghreifftiau canlynol:

(i) Gall sefyllfaoedd gwleidyddol sy'n newid effeithio ar fynediad at lawysgrifau. Hyd yr 1990au, er enghraifft, deunydd llawysgrifol mewn archifdai gwledydd gorllewin Ewrop ac UDA yn unig oedd ar gael i haneswyr gorllewinol a oedd yn ysgrifennu am yr Ail Ryfel Byd, ac felly roedd eu dehongliadau weithiau yn gyfyngedig oherwydd nad oedd ganddynt fynediad at yr archifau llawysgrifau maith y cafodd y Rwsiaid afael arnynt ar ddiwedd y rhyfel. Gyda chwymp comiwnyddiaeth yn Nwyrain Ewrop ar ddechrau'r 1990au, daeth cyfleoedd ymchwil newydd i'r golwg yn sydyn, ac mae hyn wedi arwain at ailwerthuso agweddau ar yr Ail Ryfel Byd yn ogystal ag agweddau ar hanes Sofietaidd.

Er enghraifft, hyd yr 1990au cynnar, roedd haneswyr y gorllewin wedi tybio bod Hitler wedi cyflawni hunanladdiad yn ei fyncer, ond ni allent brofi hynny. Daeth ffeil ar farwolaeth Hitler i'r golwg pan agorwyd yr archifau Sofietaidd; roedd y ffeil wedi'i pharatoi ar gyfer Stalin, ac roedd yn cynnwys tystiolaeth gadarn o hunanladdiad Hitler yn Ebrill 1945. Roedd hefyd yn cynnwys ei gofnodion deintyddol, darn o'i ên â gwaith pontio unigryw i'w ddannedd, a rhan uchaf ei benglog ac ynddo friw agored i ergyd bwled. Roedd hyn i gyd yn helpu i gadarnhau damcaniaeth wreiddiol yr hanesydd Hugh Trevor-Roper, a ddyddiai nôl i 1947, bod Hitler wedi saethu'i hunan drwy ei arlais dde. Yn yr achos hwn, roedd y dystiolaeth newydd yn fodd o gadarnhau dadansoddiad o ddigwyddiadau a fodolai eisoes.

(ii) Ym Mhrydain, mae yna reol deng mlynedd ar hugain sy'n rheoli'r broses o ryddhau holl bapurau swyddogol y llywodraeth i'r cyhoedd. Daeth y rheol i rym yn yr 1960au i gymryd lle rheol a oedd yn gwarchod papurau o'r fath am hanner can mlynedd. O ganlyniad i'r cyfyngiadau hyn, ni fydd haneswyr sy'n gweithio ar hanes Rhyfel y Falklands yn 1982 yn cael mynediad llawn at bapurau swyddogol; ac er eu bod yn gallu defnyddio adroddiadau a gyhoeddwyd yn y papurau newydd, bydd y rhain wedi bod yn destun sensoriaeth. Ni fyddant yn gallu ymgynghori â phapurau'r cabinet hyd nes eu rhyddhau yn 2012, a hyd yn oed wedyn, bydd rhai dogfennau sensitif yn parhau i gael eu cadw rhag y cyhoedd. Bydd gan haneswyr sy'n ysgrifennu ar ôl 2012 lawer mwy o gyfle i archwilio papurau swyddogol na'r rhai oedd yn ysgrifennu cyn hynny, ac o ganlyniad, mae'n bosibl y bydd eu dadansoddiad yn wahanol iawn i gasgliadau hanesydd cyn y dyddiad hwnnw.

(iii) Mae'n bosibl i deuluoedd gadw 'papurau preifat' unigolion hyd nes y byddant wedi marw, ac mewn rhai achosion am sawl cenhedlaeth. Felly ni fyddai hanesydd sydd yn llunio cofiant gwleidydd amlwg yn gallu cwblhau astudiaeth gynhwysfawr oni bai ei fod yn cael archwilio papurau preifat fel dyddiaduron a llythyrau teulu sy'n datgelu manylion personol.

Bydd y dystiolaeth sydd ar gael a'r graddau y bydd yn cael ei harchwilio yn cael dylanwad dramatig ar y dehongliad a gaiff ei lunio. Fel y nododd yr hanesydd E.H. Carr:

> *'Nid yw'r ffeithiau yn ymdebygu i bysgod ar garreg y gwerthwr pysgod. Maent fel pysgod yn nofio'n rhydd mewn cefnfor eang, anodd cael ato; ac fe fydd yr hyn y dalia'r hanesydd yn dibynnu, i raddau ar siawns, ond yn bennaf ar ba bynnag ran o'r cefnfor y bydd yn dewis pysgota ynddo a pha offer y bydd yn dewis ei ddefnyddio.'*
>
> E. H. Carr, *What is History?* [1961]

Eich tasg

(a) Esboniwch ystyr y dyfyniad o waith yr hanesydd E.H. Carr.

(b) Beth yr awgryma'r dyfyniad hwn ynghylch cywirdeb safbwyntiau haneswyr?

2. Ysgrifennu ar adegau gwahanol

Caiff haneswyr eu dylanwadu neu eu cyflyru'n naturiol gan yr adegau y maent yn byw ynddynt. Mae gwaith yr hanesydd yn aml yn adlewyrchu'r gymdeithas y mae ef neu hi yn gweithio ynddi. Dyma pam mae'n bwysig iawn ystyried dyddiad cyhoeddi'r ffynhonnell. Bydd y priodoliad yn aml yn darparu cliw hanfodol wrth eich helpu i ddod i farn ynghylch y dehongliad a gyflwynir yn y ffynhonnell.

Er enghraifft, roedd haneswyr Chwigaidd blynyddoedd olaf y bedwaredd ganrif ar bymtheg yn ysgrifennu ar adeg pan oedd yr Ymerodraeth Brydeinig ar ei hanterth, ac yn cwmpasu traean o boblogaeth y byd. Roeddynt yn ysgrifennu hanes a adlewyrchai'r argraff hon fod Prydain, a'r sefydliadau gwleidyddol rhyddfrydol Prydeinig, wedi esblygu i fod y gorau, ac felly yn esiamplau i'w copïo gan weddill y bydd. Roedd eu safbwyntiau hwy yn wahanol iawn i haneswyr a ysgrifennai yn yr 1950au a'r 1960au pan oedd yr Ymerodraeth wedi chwalu; erbyn hinsawdd wleidyddol yr unfed ganrif ar hugain, mae safbwyntiau o'r fath wedi dyddio ac yn ymddangos yn hen-ffasiwn iawn.

Yn yr un modd, yn yr 1950au yn ystod cyfnod McCarthy, roedd safbwyntiau haneswyr Americanaidd tuag at yr Undeb Sofietaidd dan ddylanwad y ffobia gwrth-gomiwnyddol a oedd yn lledaenu dros America yn ystod y degawd hwnnw. Roeddynt felly yn dueddol o bortreadu'r Undeb Sofietaidd mewn golau negyddol iawn, a ymylai ar fod yn sinistr.

3. Gall haneswyr feddu ar safbwyntiau ideolegol gwahanol

Wrth ysgrifennu am y gorffennol gall haneswyr gael eu dylanwadu gan eu cefndiroedd a'u credoau gwleidyddol eu hunain. Mae rhai haneswyr, er enghraifft, dan ddylanwad damcaniaethau Marcsaidd o hanes, a byddant yn ceisio egluro datblygiadau hanesyddol trwy edrych ar berthnasoedd economaidd newidiol rhwng gwahanol grwpiau mewn cymdeithasau. Cyfeiriodd Karl Marx at hyn fel y rhyfel dosbarth. Mae dehongliad o'r fath yn bychanu rôl yr unigolyn, yn rhoi lle amlycach i'r mater ehangach o'r rhyfel dosbarth ac yn nodi mai ffactorau economaidd sy'n bennaf wrth wraidd newid.

Bydd haneswyr sydd â diddordebau cenedlaetholgar yn dueddol o ysgrifennu hanes o safbwynt un wlad, gan bwysleisio rôl cyfraniad y wlad honno i ddatblygiadau. Er enghraifft, mae'n bosibl y bydd haneswyr Ffrengig, Almaenig neu Brydeinig yn gogwyddo eu dehongliad o frwydr Waterloo yn 1815 i dynnu sylw at bwysigrwydd cyfraniad eu gwlad hwy eu hunain. Wrth astudio digwyddiadau yng Nghymru rhwng y ddau ryfel byd, mae'n bosibl canfod gogwydd sylweddol yng ngweithiau rhai haneswyr cenedlaetholgar Cymreig sy'n gwyntyllu eu rhwystredigaeth â'r hyn a welant yn ddiffyg sylw'r Llywodraeth Seisnig i broblemau Cymru yn ystod y Dirwasgiad. Gwelodd yr 1920au enedigaeth Plaid Cymru fel plaid wleidyddol ac roedd ei haelodau yn flin â gweithredoedd y Llywodraeth ac yn feirniadol ohonynt. Roeddynt yn eu cyhuddo o anwybyddu'r caledi economaidd difrifol a welwyd ar draws Cymru; nid oedd gweinidogion y Llywodraeth ar y pryd, na chwaith rhai haneswyr yn ddiweddarach, yn rhannu'r gred hon.

Gallai haneswyr eraill bwysleisio rôl ac arwyddocâd unigolion wrth lunio hanes, gan ddehongli eu gweithredoedd fel rhai oedd yn chwarae rhan hanfodol yn y gwaith o lunio a gweithredu polisi, ac yng nghanlyniadau digwyddiadau. Bu haneswyr cenedlaetholgar Eidaleg, er enghraifft, yn gyfrifol am greu y myth bod uniad yr Eidal yn seiliedig ar weithredoedd cydweithredol y prif chwaraewyr, Cavour, Garibaldi a Victor Emanuel. Rhoddwyd llai o sylw i gymeriadau fel Mazzini a oedd yn allweddol i symudiad y Risorgimento, ac ychydig iawn o sylw i'r cymorth a dderbyniwyd gan wledydd tramor, yn enwedig Napoleon III. Byddai gwleidyddion Eidaleg a oedd yn y broses o adeiladu gwlad yn annog y safbwynt hwn.

Gall haneswyr eraill ymwrthod â dehongliadau sydd wedi dal eu tir ers tro, a chynnig safbwynt hollol newydd o ddigwyddiad neu gyfnod, gan fabwysiadu yr hyn a elwir yn ddadansoddiad adolygiadol neu radical. Yn achos uniad yr Eidal, arweiniodd cwymp y wladwriaeth Ffasgaidd yn 1945 at adolygiad llwyr o'r broses a roddodd fod i'r Eidal, dan arweiniad haneswyr fel Denis Mack-Smith ac L.C.B. Seaman. Ar ôl y rhyfel, cawsant gyfle i astudio dogfennau a oedd wedi bod yn guddiedig ers tro byd, a'u defnyddio i ddadlau bod yr Eidal yn unedig nid oherwydd cydweithio, ond oherwydd y gwrthdaro rhwng y prif chwaraewyr, pob un ohonynt â'i agenda ei hun. Roedd dehongliad o'r fath yn newid radical i'r dehongliad a dderbyniwyd cyn hynny, a bellach dyma'r fersiwn safonol o sut yr unwyd yr Eidal.

I'w drafod:

(a) Pam y gallai barn hanesydd a ysgrifennai am y fasnach gaethion yn 1789 fod yn wahanol i farn hanesydd a ysgrifennai yn 1989?

(b) A yw gwaith hanesydd sy'n enwog am safbwyntiau Marcsaidd neu genedlaetholgar cryf o unrhyw werth i fyfyrwyr hanes Safon U?

Enghraifft: Sut mae haneswyr wedi dehongli'r Holocost?

Mae tarddiadau'r Holocost wedi achosi cryn drafodaeth ymhlith haneswyr yn enwedig ers i achos Adolf Eichmann yn 1960 dynnu sylw'r byd at wir arswyd yr hyn a ddigwyddodd o fewn y gwersylloedd crynhoi a redai'r Natsïaid yn ystod yr Ail Ryfel Byd. Gellir crynhoi'r gwahanol agweddau fel a ganlyn:

Gwersyll Crynhoi Auschwitz

Dehongliad Bwriadus

Mae'r garfan o feddylwyr bwriadus wedi dehongli'r Holocost fel rhan o ddilyniant o ddigwyddiadau a gynlluniwyd, sef polisi bwriadol a'i nod o waredu Ewrop o'i phoblogaeth Iddewig trwy ddifodiant torfol. Yn ôl safbwynt bwriadus, dilynai Hitler 'uwch gynllun', sef glasbrint ar gyfer rhaglen o erledigaeth systematig. Roedd ei ideoleg a'i rethreg trwy gyfnod yr 1920au a'r 1930au cynnar yn dangos mai ei fwriad o'r dechrau oedd dilyn rhaglen o'r fath, ac unwaith y cipiodd rym, roedd ei unbennaeth yn sicrhau bod ei holl orchmynion yn cael eu gweithredu. O'r safbwynt hwn, mae'n dilyn bod y symbyliad i'r Holocost wedi dod oddi uchod gyda Hitler ei hun yn rhoi'r gorchmynion. Mae Lucy Dawidowicz ac Andreas Hillgruber ymhlith yr haneswyr blaenllaw sy'n coleddu'r dehongliad hwn.

Dehongliad Ffwythianyddol neu Adeileddol

Mae haneswyr ffwythianyddol neu adeileddol yn diystyru'r syniad bod cynllun i'r Holocost. Credant ei fod wedi datblygu fel rhan o raglen esblygiadol a gâi ei gyrru gan anghenion rhyfel. Maent yn portreadu'r Trydydd Reich fel cyfundrefn dan arweinyddiaeth wael, yn llawn o ymrysonau mewnol, gyda phroses aflunaidd o wneud penderfyniadau yn arwain at radicaleiddio ac addasu cynlluniau'n fyrfyfyr. Mae'r haneswyr hyn yn dehongli'r Holocost fel proses esblygiadol o erledigaeth ddwys, a ddatblygodd wrth i'r peiriant rhyfel Almaenig wthio'n ddyfnach fyth i Wlad Pwyl ac yna Rwsia. Yn eu barn hwy, ymateb i amgylchiadau penodol oedd yr Holocost, yn hytrach na rhywbeth a gynlluniwyd o flaen llaw. Maent yn dadlau bod y polisi wedi'i lansio o'r gwaelod yn hytrach nag o'r brig, ac mai rhengoedd is biwrocratiaeth yr Almaen oedd yn ei yrru ymlaen. Mae Hans Mommsen a Martin Broszat ymhlith yr haneswyr blaenllaw sy'n coleddu'r dehongliad ffwythianyddol.

Dehongliad Synthesis

Mae ymchwil diweddar wedi esgor ar y dehongliad synthesis, sef cyfuniad o'r safbwyntiau ffwythianyddol a bwriadus. Mae'r dehongliad hwn yn cyflwyno'r safbwynt bod yr Holocost yn ganlyniad i rymoedd a ddeilliai o'r brig ac o'r gwaelod. Credant nad oedd gan Hitler uwch gynllun ond mai ef oedd y prif symbyliad wrth wraidd yr Holocost. Maent yn ei weld fel canlyniad terfynol proses o 'radicaleiddio cronnus', sef canlyniad rhethreg a chystadleuaeth gynyddol eithafol rhwng gwahanol asiantaethau Natsïaidd a arweiniodd at bolisïau cynyddol eithafol. Mae Yehuda Bauer ac Ian Kershaw ymhlith haneswyr blaenllaw sy'n coleddu'r dehongliad synthesis.

Gwadu'r Holocost

Ceir safbwynt eithafol arall sy'n hollol groes i'r holl ddehongliadau hyn sef safbwynt y sawl sy'n gwadu'r Holocost. Maent yn defnyddio'r dystiolaeth hanesyddol, neu ddiffyg tystiolaeth, i ddadlau nad oedd hil-laddiad wedi digwydd ymhlith Iddewon Ewrop, a bod yr Holocost yn ffurfio rhan o fyth a grëwyd gan haneswyr gorllewinol sydd wedi aflunio'r dystiolaeth hanesyddol. Mae David Irving wedi ennyn sylw fel un o brif bleidwyr y safbwynt radical hwn.

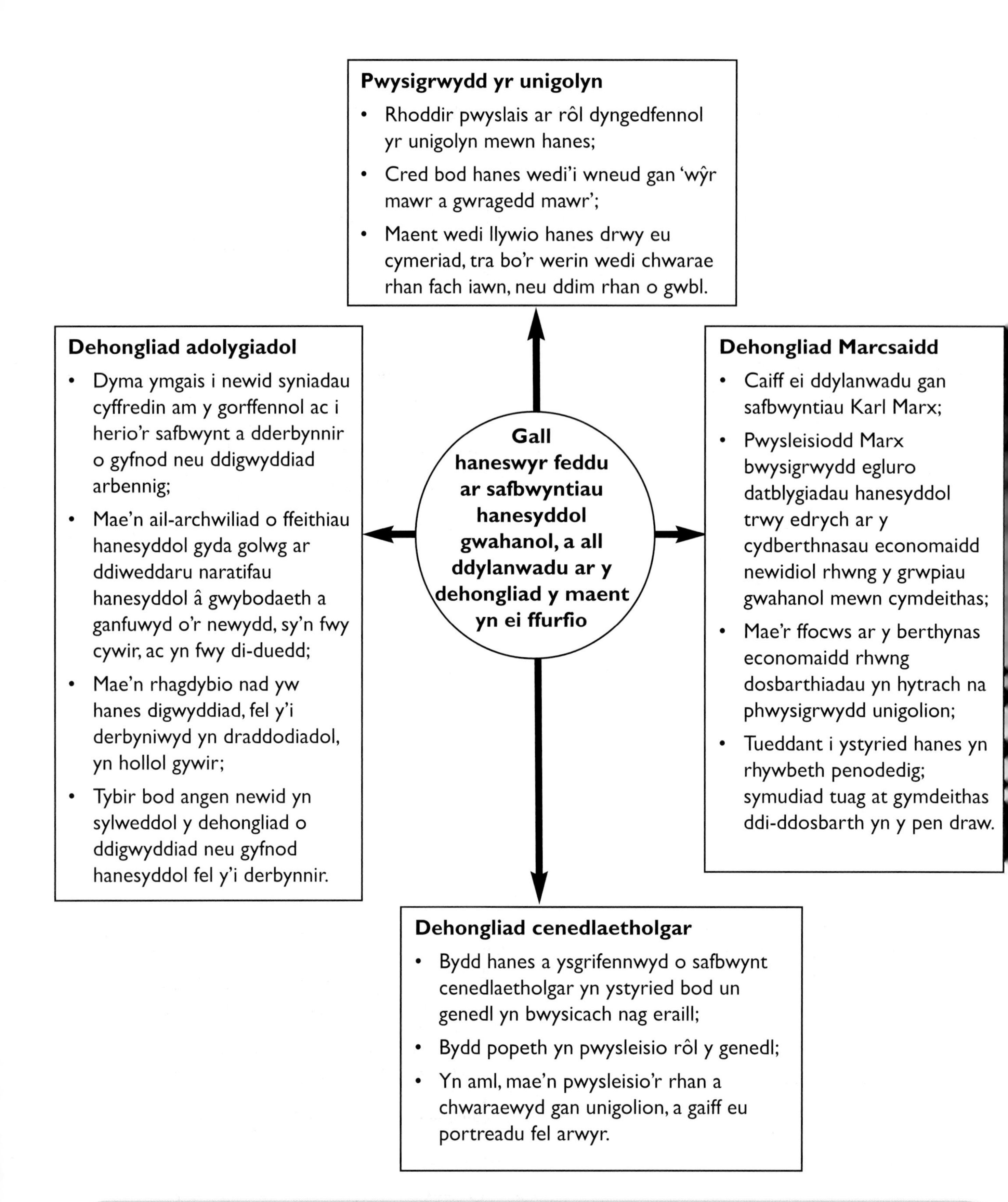

Eich tasg

(a) Pa bwyntiau bwled fyddech chi'n eu cynnwys mewn blwch sy'n dwyn y pennawd 'Y dehongliad Synthesis'?

(b) Allwch chi adnabod unrhyw safbwyntiau neu agweddau eraill a all ddylanwadu ar y dehongliadau y mae hanesydd yn eu rhoi?

Pam mae dehongliadau o ddigwyddiadau hanesyddol yn newid dros amser?

1. Mae ein dealltwriaeth o hanes yn newid yn barhaus

Pe derbyniai pawb un safbwynt o hanes nad oedd byth yn newid, yna ni fyddai angen cynnal unrhyw ymchwil pellach. Mae astudio hanes yn broses o ryngweithio parhaus rhwng yr hanesydd a'r ffeithiau. Bydd pob cenhedlaeth o haneswyr yn tueddu i fabwysiadu ei dehongliad a'i safbwynt ei hun.

'Mae hanes yn ddeialog barhaus rhwng y presennol a'r gorffennol. Mae dehongliadau o'r gorffennol yn agored i gael eu newid mewn ymateb i dystiolaeth newydd, cwestiynau newydd y gofynnir o'r dystiolaeth, safbwyntiau newydd a lunnir gyda threiglad amser.'

[James McPherson, hanesydd a enillodd y Wobr Pulitzer]

2. Gall datblygiadau mewn meysydd academaidd eraill achosi newid i ffiniau hanes a dderbynnir ar hyn o bryd

Mae datblygiadau mewn astudiaethau gwyddonol, yn arbennig ym maes dadansoddi DNA, dyddio carbon, dadansoddi cylchoedd coed ac archwilio creiddiau iâ, oll wedi dylanwadau ar y dehongliadau a gaiff eu mabwysiadu gan haneswyr. Gall y dystiolaeth newydd helpu i gadarnhau damcaniaethau sefydledig, neu fe all gyflwyno tystiolaeth newydd sy'n tanseilio neu'n gwrthod esboniad hanesyddol sefydledig.

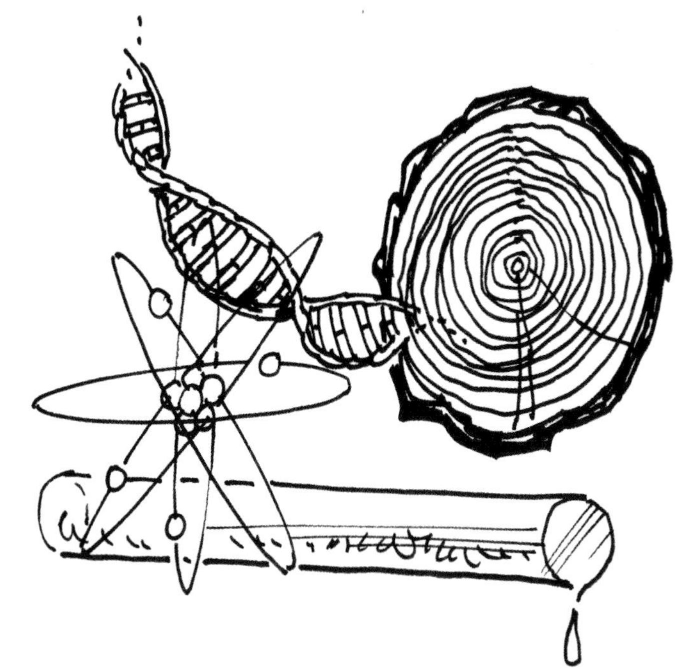

Enghraifft: Mae dulliau gwyddonol modern wedi helpu i ddatrys y dirgelwch ynghylch beth yn union ddigwyddodd i Tsar Nicholas II o Rwsia a'i deulu agos yng Ngorffennaf 1918.

Y Tsar a'i deulu

Er 1918, mae haneswyr wedi damcaniaethu ynghylch beth yn union ddigwyddodd i'r Tsar a'i deulu yng Ngorffennaf y flwyddyn honno, pan ddiflannodd y teulu yn sydyn. Ni chanfuwyd cyrff y teulu Romanov, ac felly damcaniaeth yn hytrach na ffaith gadarn oedd y digwyddiadau yn gysylltiedig â'u diflaniad. Derbyniwyd y safbwynt eu bod oll wedi cael eu saethu gan filwyr Bolshevik ar 17 Gorffennaf 1918 tra oeddent yn garcharorion mewn tŷ yn nhref Ekaterinburg yn ardal yr Urals. Eto i gyd, roedd sawl ffactor yn codi cwestiynau ynglŷn â'r ddamcaniaeth hon, yn arbennig ymddangosiad gwraig a honnai mai hi oedd Anastasia, un o ferched y Tsar. Honnodd unigolyn arall, sef nyrs o'r enw Natalya Mutnykh, ei bod wedi trin y Tsarina a phedair o'i merched bedwar mis ar ôl y dyddiad y dywedwyd eu bod wedi cael eu saethu. Mae digwyddiadau o'r fath wedi bod yn gyfrifol am gwestiynu gwirionedd y dehongliad eu bod i gyd wedi cael eu llofruddio yng Ngorffennaf 1918.

Yn 1991, darganufwyd gweddillion llarpiog nifer o unigolion mewn bedd bas ar ymyl ffordd deuddeg milltir i'r gogledd o Ekaterinburg, a chredwyd mai aelodau o'r teulu Romanov oeddynt. Ar ôl casglu cofnodion deintyddol a chynnal profion DNA ym Mhrydain ac UDA, cadarnhawyd mai cyrff y Tsar, y Tsarina a thair o'u merched oedd y cyrff, ac mai Anastasia oedd un ohonynt. Roedd cyrff Alexei, yr etifedd, ac un o'i chwiorydd yn dal ar goll. Yn 2007, cynhaliwyd cyfres o brofion DNA ar esgyrn a ddarganfuwyd mewn darn o dir llosg ger Ekaterinburg. Yn Ebrill 2008, cadarnhawyd mai esgyrn Alexei a'i chwaer oeddynt. Mae datblygiad dulliau gwyddonol newydd felly wedi datrys dirgelwch naw deg mlwydd oed y teulu Romanov coll.

3. Newidiadau mewn ideoleg dros amser

Gall newidiadau a datblygiadau mewn ffasiynau gwleidyddol, economaidd, cymdeithasol a diwylliannol gael effaith ddramatig ar y modd y mae hanesydd yn dehongli'r gorffennol. Mae gan bob cenhedlaeth ei gofidiau a'i phroblemau ei hun, ac felly ei buddiannau a'i safbwyntiau ei hun hefyd. Daw'r rhain yn aml i'r amlwg a dylanwadu ar y modd y mae haneswyr yn dehongli'r gorffennol.

Enghraifft: Hanesyddiaeth achosion y Rhyfel Cartref Seisnig

Ail-gread o frwydr Rhyfel Cartref

Roedd **haneswyr Chwigaidd**, a ysgrifennai am achosion y Rhyfel Cartref yn ystod oes Victoria, yn cymhwyso damcaniaeth esblygiad dyn Charles Darwin i esblygiad llywodraeth o oruchafiaeth awdurdodol yn y cyfnod canol oesol trwodd i lywodraeth lled-gyfansoddiadol oes Victoria. Ystyrient y Rhyfel Cartref fel gwrthdaro anochel rhwng buddiannau'r goron a'r senedd yn ystod yr ail ganrif ar bymtheg, yn seiliedig ar grefydd a thwf Piwritaniaeth i amlygrwydd, a'r ail-ddosbarthiad grym a ddilynodd hynny.

Roedd **haneswyr Marcsaidd** a ysgrifennai yn yr 1940au hefyd yn credu bod y Rhyfel Cartref yn ganlyniad anochel i nifer o ddigwyddiadau ond, yn wahanol i'r haneswyr Chwigaidd, honnent bod ffactorau cymdeithasol ac economaidd, yn fwy na rhai crefyddol, ar fai. Yn ôl yr haneswyr Marcsaidd, y trawsnewidiad o economi ffiwdal i wladwriaeth bourgeois [bonedd] a achosodd y problemau rhwng y goron a'r senedd, gan wneud y Rhyfel Cartref yn 'rhyfel dosbarth'. Daeth y grym dros newid o faterion cymdeithasol ac economaidd, a arweiniodd yn eu tro at newidiadau gwleidyddol a chrefyddol.

Yn ystod yr 1960au a'r 1970au, gwelwyd to newydd o **haneswyr Adolygiadol** yn ymosod ar y dehongliadau hyn, ac erbyn heddiw, mae'r dehongliadau Chwigaidd a Marcsaidd wedi cael eu dymchwel. Mae haneswyr adolygiadol yn gwrthod y gred mewn achosion tymor hir ac felly yn natur anochel y digwyddiadau. Credant mai'r dirywiad yn yr ymddiriedaeth rhwng y goron a'r senedd yn ystod yr 1640au yw prif achos y Rhyfel Cartref, a rhoddant le amlycach i ddigwyddiadau yr 1630au hwyr a'r 1640au cynnar. I Adolygiadwyr, mae gwreiddiau'r Rhyfel Cartref yn dechrau â'r ffaith bod Siarl I wedi gwneud newidiadau chwyldroadol i'r llywodraeth na allai'r bonedd ceidwadol eu natur eu derbyn. Gadawyd y genedl yn rhanedig gan ganlyniad y newidiadau hyn, gan arwain at ddechrau rhyfel cartref.

4. Data newydd yn dod i'r golwg

Gall mathau newydd o wybodaeth ddod i'r golwg yn sydyn, a chael dylanwad dramatig ar ddehongliad digwyddiadau. Gall gadarnhau, a weithiau, wyrdroi damcaniaethau sefydledig sydd wedi bodoli ers tro byd.

Enghraifft: Ail-werthusiad o faint buddugoliaeth y Saeson ym Mrwydr Agincourt yn 1415

Brwydr Agincourt

Mae ymchwil diweddar gan yr Athro Anne Curry wedi herio'r safbwynt traddodiadol bod gan y fyddin Ffrengig gymaint â phedair gwaith y lluoedd Seisnig ym Mrwydr Agincourt, ond bod y Saeson er hynny wedi llwyddo i gyflawni buddugoliaeth ysgubol. Mae'r Athro Curry wedi dychwelyd at ffynonellau cynradd gan archwilio'r cofnodion cofrestru gwreiddiol, dogfennau na thalodd haneswyr blaenorol lawer o sylw iddynt. Mae'r dogfennau hyn wedi ei galluogi i gwestiynu'r dehongliad traddodiadol o'r frwydr. Mae ei hymchwil wedi dangos nad oedd y gwahaniaeth maint rhwng y lluoedd gwrthwynebol mor fawr a bod gan y llu Ffrengig 12,000 o ddynion mewn cymhariaeth â llu'r Saeson a Chymry oedd yn 8,000. Mae'r bwlch culach hwn wrth reswm yn rhoi gogwydd gwahanol ar y fuddugoliaeth ac mae'r Athro Curry yn awgrymu bod y niferoedd wedi'u gorliwio'n wreiddiol gan haneswyr Seisnig am resymau gwladgarol na chafodd eu cwestiynu. Nid oedd yr un hanesydd wedyn wedi trafferthu dychwelyd at y dogfennau gwreiddiol i wirio bod y ffigurau'n gywir.

5. Dylanwad damcaniaethau adolygiadol

Gyda threigl amser, ac wrth i ddylanwadau newid, mae safbwyntiau'r mwyafrif o haneswyr ar esboniad digwyddiadau hanesyddol hefyd yn newid. Byddai rhai haneswyr, wrth geisio egluro sut a pham y digwyddodd rhai digwyddiadau yn y gorffennol, o bosibl yn ymwrthod â'r dehongliad traddodiadol gan gyflwyno eu safbwynt diwygiedig eu hunain.

Enghraifft: Ail-werthusiad o arweinyddiaeth filwrol yn ystod y Rhyfel Byd Cyntaf

Mae arweinyddiaeth filwrol y lluoedd Prydeinig a ymladdai yn ffosydd Fflandrys yn ystod y Rhyfel Byd Cyntaf yn aml wedi'i feirniadu'n hallt gan haneswyr; honnir yn aml bod y cadlywyddion a arweiniai'r fyddin yn ddall i realiti rhyfel yn y ffosydd, eu bod yn anwybodus o'r amodau a wynebai eu dynion a'u bod yn amharod i ddysgu o'u camgymeriadau. Arweiniodd safbwynt o'r fath at y gred mai'r Tomis dewr oedd y 'llewod a arweinwyd gan fulod', sef ymadrodd a ddefnyddir yn aml i ddisgrifio arweinyddiaeth y Cadlywydd Haig yn ystod Brwydr y Somme yn 1916.

Milwyr yn brwydro yn y ffosydd

Yn ystod yr 1960au, dechreuodd haneswyr adolygiadol fel John Terraine herio'r dehongliad hwn. Mae haneswyr bellach yn llai tueddol o edrych ar y rhyfel mewn modd mor or-syml, gyda milwyr dewr yn cael eu harwain i'r lladdfa gan swyddogion gwirion. Mae haneswyr fel Richard Holmes yn datgan bod yn rhaid i arweinyddiaeth filwrol y fyddin Brydeinig ar y Ffrynt Gorllewinol ymdrin â nifer o broblemau nad oedd modd eu rheoli, megis diffyg dulliau cyfathrebu milwrol digonol. Ymhellach, gwellodd yr arweinyddiaeth filwrol wrth i'r rhyfel fynd rhagddo gan gyrraedd ei benllanw yn yr ymosodiad Can Niwrnod a arweiniodd at fuddugoliaeth yn 1918. O ganlyniad, mae nifer o haneswyr heddiw yn dod i'r casgliad bod y cadlywyddion yn gwneud cystal ag yr oedd yn bosibl dan yr amodau eithafol a grëwyd gan y rhyfel yn y ffosydd.

Eich tasg

(a) Pam mae'n bwysig i haneswyr ail-ymweld â dehongliad materion sydd wedi ennyn llawer o drafodaeth hanesyddol?

(b) 'Mae ail-werthuso materion hanesyddol yn broses barhaus ac angenrheidiol'. I ba raddau ydych chi'n cytuno neu'n anghytuno â'r safbwynt hwn?

Sut y gall arholwyr asesu eich dealltwriaeth o ddehongliadau a chynrychioliadau hanesyddol?

1. Cymharu gwahanol ddehongliadau neu gynrychioliadau o'r un digwyddiad

Mae'r math hwn o gwestiwn yn un cyffredin ar Safon U ac mae'n gofyn i chi gymharu dwy ffynhonnell, gan arddangos eich sgiliau gwerthuso ffynhonnell a'ch gwybodaeth hanesyddol er mwyn dod i farn am ddehongliad penodol. Gallai un ffynhonnell fod yn safbwynt cyfoes, a'r llall yn ddehongliad a ysgrifennwyd ar ôl y digwyddiad gyda chymorth ôl-welediad ac ymchwil. Y prif orchwyl fydd ystyried a yw'r ffynhonnell gyfoes yn cadarnhau neu'n gwrth-ddweud y dehongliad a roddir. Bydd angen cyfeirio hefyd at briodoliad neu darddiad y ddwy ffynhonnell, gan roi sylw arbennig i'r dyddiad y'u lluniwyd, yr awdur, y math o gyhoeddiad a phwrpas posibl y ffynhonnell. Bydd hyn yn eich galluogi i drafod sut y lluniwyd rhai dehongliadau arbennig. Bydd disgwyl i chi hefyd ystyried y gynulleidfa y bwriadwyd y ffynhonnell ar ei chyfer, a pham yr ysgrifennwyd yr adroddiad yn yr arddull y gwnaethpwyd. Dylech orffen eich ateb trwy gyfeirio'n ôl at brif bwyslais y cwestiwn ei hun.

Yn achos ymarfer sy'n gofyn i chi gymharu dau gynrychioliad, dylech ddilyn yr un broses o archwilio a gwerthuso â'r esiampl a roddwyd ynghynt o ddarluniadau amffitheatr Caerllion gan ddau artist gwahanol.

Enghraifft: Cymharu safbwynt cyfoes â dehongliad

Mae'r cwestiwn hwn yn canolbwyntio ar y newidiadau gwleidyddol yng Nghymru yn dilyn y Ddeddf Uno, 1536.

Ffynhonnell A

'Bu'r hen ymrafael rhwng Cymru a Lloegr yn gyfrifol am sawl lladdfa, goresgyniad, gelyniaeth, llosgi, tlodi a thebyg oherwydd rhyfel. Ond bu i'r Uniad hwn ennyn cyfeillgarwch, brawdoliaeth, cariad, cynghrair, cymorth, cyfoeth a hedd. Boed i Dduw ei warchod a'i fawrygu.'

[Rhys Meurig, Y Cotrel, hanesydd a thirfeddiannwr bonheddig, yn ysgrifennu yn *Morganiae Archaiographia* (1578)]

Ffynhonnell B

'...mae'r dybiaeth ei fod [polisi Tuduraidd] wedi trawsnewid gwlad o anarchiaeth ddireol yn Baradwys berffaith, lle na bu unrhyw achos cwyno ers hynny na'r gwyriad lleiaf oddi ar y polisi, yn destun jôc.'

[T. Gwynn Jones, hanesydd diwylliannol, yn ysgrifennu mewn erthygl o'r enw 'Cultural bases: a study of the Tudor period in Wales' yn y cylchgrawn Cymraeg, *Y Cymmrodor* (1921), trwy garedigrwydd Llyfrgell Genedlaethol Cymru.]

Cwestiwn:
Astudiwch Ffynonellau A a B. I ba raddau y mae Ffynhonnell A yn cefnogi neu'n gwrth-ddweud y dehongliad o'r Ddeddf Uno a roddir yn Ffynhonnell B?

Beth mae'r Arholwr yn edrych amdano wrth farcio'r math hwn o gwestiwn?

Nod y cwestiwn yw asesu'r berthynas rhwng y safbwynt cyfoes a dehongliad yr hanesydd. Mae'r ddwy yn ffynonellau ond byddai'r hanesydd (Ffynhonnell B) wedi cael gafael ar Ffynhonnell A. Er mwyn cyrraedd y lefel ymateb uchaf yn y cynllun marcio, byddai disgwyl i chi ddadansoddi a gwerthuso **cynnwys a tharddiad** y ddwy ffynhonnell er mwyn dod i ddyfarniad cadarnhaol ar y graddau y mae'r ffynhonnell yn cefnogi neu'n gwrth-ddweud dehongliad arbennig.

Byddai ymateb datblygedig yn datgan bod Ffynhonnell B yn feirniadol iawn o Uniad Cymru gyda Lloegr, a'i bod yn nodi bod y gred y byddai'r Uniad yn datrys y broblem o anrhefn dros nos yn anghywir. Mae Ffynhonnell A yn gwrth-ddweud y dehongliad hwn trwy ddweud bod yr Uniad wedi cael effaith gadarnhaol iawn wrth sefydlu cyfnod newydd o gyfeillgarwch, ffyniant a hedd. Yn nhermau tarddiad, byddai'n nodi bod Ffynhonnell A yn safbwynt cyfoes gan aelod o'r bonedd Cymreig, sef gŵr a oedd ar ei ennill o uniad o'r fath. Mae Ffynhonnell B, ar y llaw arall, yn safbwynt hanesydd modern a oedd yn ysgrifennu gyda chymorth ôl-welediad. Bydd yr ymatebion gorau yn dod i'r casgliad na fyddai haneswyr fel T. Gwynn Jones sy'n feirniadol iawn o'r Deddfau Uno, yn ystyried tystiolaeth Rhys Meurig Y Cotrel yn arbennig o ddefnyddiol wrth lunio'u casgliadau ynghylch polisi Tuduraidd yng Nghymru.

Enghraifft o gynllun marcio cyffredin a gymhwysir gan Arholwyr i asesu sgiliau AA2b.

AA2b	Disgrifwyr Lefel Generig
Lefel 1 ↓	• Ateb yn dangos dealltwriaeth gyfyngedig • Peth trafodaeth ynghylch cynnwys y ffynonellau; tueddu i fod yn ddisgrifiadol
Lefel 2 ↓	• Ateb yn dangos dealltwriaeth dda • Trafodaeth dda o gynnwys y ddwy ffynhonnell, adnabod y ddau ddehongliad • Peth ymgais i ystyried priodoliad y ddwy ffynhonnell
Lefel 3	• Ateb yn dangos dealltwriaeth resymegol • Trafodaeth estynedig o gynnwys a phriodoliad pob ffynhonnell • Yn dod i ddyfarniad cadarnhaol ar y graddau y mae'r ffynonellau yn cefnogi neu'n gwrth-ddweud dehongliad arbennig

Eich tasg

Mae'r cwestiwn hwn yn ymdrin â'r Rhyfel Cartref, 1642-1649.

Ffynhonnell A

'Pan ddychwelodd y Brenin i Rhydychen yn 1642, ymddangosai dim ond digalondid meddwl, anfodlonrwydd a miwtini cudd; yn y fyddin, dicter a chenfigen ymhlith y swyddogion, pawb yn cyhuddo ei gilydd o ddiffyg gwroldeb ac ymddygiad yn eu gweithredoedd ar faes y gad; a'r sawl nad oeddynt yn y fyddin, yn eu beio oll am eu ffaeleddau lliaws a'u diofalwch difrifol.'

[Y brenhinwr Edward Hyde, Iarll Clarendon, yn ysgrifennu yn ei lyfr *History of the Rebellion* (1667)]

Ffynhonnell B

'Gorymdeithiodd y Cafaliriaid i'r garsiwn â chymaint o arswyd, fel na synnwyd yr un ohonynt pan syrthiodd rhai o'u harweinwyr o'u blaen gyda'i gilydd; yn hytrach, gorymdeithiodd y lleill yn eofn dros gyrff meirw eu cyfeillion, dan fagnelau'r gelyn, gan achosi digon o anfadwaith i godi ofn ar ddynion dewr a chryf.'

[Adroddiad llygad-dyst cyfoes di-enw o ymosodiad Brenhinol ar Nottingham (1664)]

Cwestiwn:
Astudiwch Ffynonellau A a B. I ba raddau y mae Ffynhonnell B yn cefnogi neu'n gwrth-ddweud y dehongliad a roddir o'r fyddin frenhinol yn Ffynhonnell A?

[Defnyddiwch y disgrifwyr lefel generig a restrir yn y siart uchod fel canllaw i'ch helpu i lunio eich ateb i'r cwestiwn hwn.]

2. Ymchwiliad i ddilysrwydd cynrychioliad

Mae'r math hwn o gwestiwn yn golygu bod yn rhaid ymchwilio i gywirdeb, ac felly dilysrwydd cynrychioliad arbennig. Bydd cwestiynau o'r fath yn eich gwahodd i:

- Amlinellu'r cynrychioliad a roddir a'i roi yn ei gyd-destun hanesyddol;
- Archwilio sut y gallodd y crëwr lunio'r cynrychioliad hwnnw;
- Rhoi prawf ar gywirdeb y cynrychioliad yn erbyn cynrychioliadau eraill a'ch gwybodaeth a'ch dealltwriaeth chi o'r cyfnod;
- Dod i farn terfynol ynghylch dilysrwydd y cynrychioliad.

Mae ymchwiliadau o'r fath yn agored i ystod o gwestiynau; mae'r canlynol yn enghreifftiau o rai mathau:

Ffilmiau: I ba raddau y mae golygfa agoriadol y ffilm *Saving Private Ryan* yn gynrychioliad cywir o gamau cychwynnol y glaniadau D Day ym Mehefin 1944?

Cynhyrchwyd ffilm Steven Speilberg *Saving Private Ryan* yn 1998 a buan yr enillodd ganmoliaeth ryngwladol am ei bortread o fintai Americanaidd ar gyrch arbennig i ganfod ac achub milwr UDA, Preifat James Ryan. Mae hanner awr cyntaf y ffilm yn ailgreu glaniad milwyr UDA ar draethau Normandi ar 6 Mehefin 1944, sef *D Day*. Fe'i ffilmiwyd trwy lygaid milwr Americanaidd, ac o'r herwydd, mae'n darparu delweddau graffig o'r glaniad a gwirioneddau cignoeth yr ymdrechion i sichrau safle ar y traeth yn erbyn gwrthymosodiad ffyrnig yr amddiffynfeydd Almaenig. Nod yr ymarfer yw profi cywirdeb a dilysrwydd darn agoriadol y ffilm.

Delwedd o'r ffilm yn dangos milwyr Americanaidd yn symud i fyny'r traeth i sicrhau eu glaniad.

Olion ffisegol: I ba raddau y mae adferiad maenordy Plas Mawr yng Nghonwy yn gynrychioliad cywir o gartref gŵr bonheddig o oes Elisabeth?

Yn ystod yr 1990au, daeth Plas Mawr dan ofal a rheolaeth Cadw, ac fe gynhaliwyd rhaglen gadwraeth eang o nodweddion mewnol ac allanol y tŷ. Nod Cadw oedd ailgreu'r tŷ, fel y byddai wedi edrych pan gafodd ei adeiladu i Robert Wynn yn ystod yr 1580au.

Wrth wneud hynny, cymerwyd pob gofal i sicrhau bod technegau adeiladu gwreiddiol yn cael eu defnyddio lle bynnag yr oedd hynny'n bosibl, a bod y paent a'r addurno yn gynrychioliadol o oes Elisabeth, fel yr holl ddodrefn a nwyddau tŷ a osodwyd yn yr ystafelloedd amrywiol. Mae Cadw bellach yn honni bod hwn yn gynrychioliad cywir o gartref gŵr bonheddig oes Elisabeth a drigai yn yr 1580au.

Ffotograff o'r Siambr Fawr, c. 1580au hwyr, yn dilyn gwaith cadwraeth Cadw ym Mhlas Mawr.

Rhaglenni dogfen teledu: I ba raddau y mae rhaglen ddogfen y BBC, *Coal House*, yn adlewyrchiad cywir o fywyd yng ngymunedau glofaol De Cymru ar ddiwedd yr 1920au?

Ym mis Hydref 2007, rhoddodd dri theulu y gorau i'w bywydau yn yr unfed ganrif ar hugain er mwyn cael eu dwyn yn ôl i fywyd ym maes glo De Cymru yn ystod 1927. Roedd yn rhan o gyfres hanes byw y BBC, a ddilynai fywydau tri theulu dros bedair wythnos. Seiliwyd y cyfan ar 1927, y flwyddyn ar ôl y Streic Gyffredinol a chyn i'r pyllau gael eu gwladoli. Roedd y teuluoedd yn byw mewn bythynnod ym Mlaenafon a oedd wedi'u haddurno yn arddull y cyfnod, ac a oedd heb fwynderau modern. Roedd yn rhaid i'r dynion a'r bechgyn dros bedair ar ddeg gerdded dros y mynydd i weithio'r glo yng Nglofa Blaentillery Rhif 2, sef y lofa weithio olaf o'i bath yn y DU. Roedd yn rhaid i'r gwragedd gynnal y tŷ dan amodau 1927, gan ddefnyddio'n unig y bwyd a'r nwyddau cartref oedd ar gael yn y cyfnod hwnnw. Mae'r cwestiwn yn gofyn i chi werthuso a yw'r gyfres o raglenni yn adlewyrchiad cywir o fywyd yng nghymunedau glofaol De Cymru ar ddiwedd yr 1920au.

Aelodau o'r tri theulu yn byw'r profiad *Coal House*, yn gwisgo gwisgoedd y cyfnod.

3. Ymchwiliad i sut a pham mae rhai agweddau ar y gorffennol wedi'u dehongli a'u cynrychioli mewn gwahanol ffyrdd

Yn yr arholiad, bydd y math hwn o gwestiwn ar ffurf traethawd. Rhoddir dyfyniad i chi gan hanesydd, a gofynnir i chi ddweud i ba raddau yr ydych yn cytuno â'r dehongliad hwn, a pham. Bydd yn rhaid i chi ystyried y prosesau a arweiniodd at y dehongliad arbennig hwn a dangos gwerthfawrogiad bod rhyw fath o ddetholiad o ddeunydd wedi'i wneud, a barnu a oes modd cyfiawnhau'r detholiad hwnnw ai peidio. Er enghraifft, gallai'r traethawd nodi mai uchelgeisiau milwrol Almaenig oedd y prif reswm dros ddechrau'r rhyfel yn 1914. Byddai disgwyl i chi wedyn ddefnyddio eich gwybodaeth hanesyddol o'r cyfnod hwn, a phwyso a mesur y ffactor hwn yn erbyn ffactorau eraill megis twf cenedlaetholdeb yn y Balcanau neu ddatblygiad cynghreiriaid milwrol a ymrannodd Ewrop yn ddwy garfan arfog. Yn olaf, byddai disgwyl i chi lunio casgliad yn nodi a yw'r dehongliad hwn o achosion y Rhyfel Byd Cyntaf yn safbwynt dilys.

Fodd bynnag, mae'r math hwn o gwestiwn gan amlaf yn ffurfio rhan o ymarfer asesu mewnol, sy'n eich galluogi i ymchwilio mater hanesyddol yn llawer dyfnach. Mae hyn yn rhoi cyfle i chi archwilio gwahanol ddehongliadau a dod i gasgliad cadarnhaol ynghylch dilysrwydd y dehongliadau hynny.

Mewn ymarferion asesu mewnol, bydd disgwyl i chi:

- Arddangos sgiliau'r hanesydd fel y'u hamlinellwyd ym Mhenodau 2, 3 a 4 y llyfr hwn;
- Deall, dadansoddi a gwerthuso'r ffyrdd y mae'r gorffennol wedi cael ei ddehongli neu ei gynrychioli a dangos dealltwriaeth o'r ddadl hanesyddol rhwng haneswyr;
- Cynnal ymchwiliad i broblem neu fater hanesyddol lle mae amrywiaeth o safbwyntiau yn bodoli;
- Archwilio ffynonellau a gymerwyd o waith haneswyr er mwyn asesu a gwerthuso'r dehongliad a gyflwynir;
- Arddangos eich gallu i gynnal ymchwil personol i destun a roddir;
- Dadansoddi'r ffynonellau yn feirniadol a dod i gasgliad ynghylch dilysrwydd y dehongliad neu gynrychioliad arbennig hwnnw yng nghyd-destun eich gwybodaeth hanesyddol o'r cyfnod hwnnw;
- Yn olaf, ar ôl astudio ystod o ffynonellau ac adnabod y dehongliadau gwahanol, bydd disgwyl i chi arddangos eich craffter a dod i farn resymegol ynghylch pa ddehongliad neu gynrychioliad, yn eich barn chi, y mae'r dystiolaeth yn ei gefnogi fwyaf.

Gall y dasg asesu mewnol ganolbwyntio ar:

- Archwiliad o sut y mae enw da/drwg unigolyn wedi newid dros amser;
- Archwiliad o sut y mae dehongliad/cynrychioliad digwyddiad hanesyddol wedi newid dros amser;
- Sut y mae haneswyr, sydd wedi ysgrifennu ar yr un adeg, wedi dehongli'r un digwyddiad mewn ffyrdd gwahanol iawn, a'r rhesymau dros y safbwyntiau gwahanol hyn.

Enghreifftiau o faterion hanesyddol a all ennyn cryn ddadlau ac anghytuno ynghylch eu dehongliad/cynrychioliad:

1. Y graddau y mae'r bygythiad Pabyddol i'r Frenhines Elisabeth I rhwng 1571 ac 1588, yn y wlad hon a thramor, wedi'i orliwio, a'i fod mewn gwirionedd wedi'i dawelu yn gymharol rhwydd.
2. Y graddau y llwyddodd y Brenin Louis XIV i sefydlu brenhiniaeth absoliwt yn Ffrainc rhwng 1661 ac 1715.
3. Y rhesymau pam y llwyddodd menywod ym Mhrydain i ennill hawliau gwleidyddol rhwng 1867 ac 1918.

4. Y ddadl ynghylch achosion yr Ail Ryfel Byd – ai canlyniad ymgyrch ehangu bwriadol gan gyfundrefnau totaliataraidd oedd dechrau'r rhyfel neu ai damwain ydoedd?
5. Y graddau yr oedd yr Holocost yn ffurfio rhan o uwch gynllun rhagfwriadol i ddifodi poblogaeth Iddewig Ewrop, yn hytrach na'i fod yn ganlyniad i radicaleiddio cronnus ac amgylchiadau rhyfel.
6. Y graddau y cafwyd chwyldro ym mholisïau cymdeithasol, economaidd a thramor yn ystod cyfnod Margaret Thatcher, 1979-1990.

Ymhob un o'r achosion hyn, bydd elfen amlwg o ymryson rhwng haneswyr, gyda rhai'n nodi bod un ffactor yn bwysicach nag eraill. Bydd rhai hefyd yn gweld y broses fel rhan o gynllun, ac felly'n ganlyniad bwriadol, yn hytrach na dilyniant o ddigwyddiadau heb eu cynllunio, a ddigwyddodd yn aml yn ddamweiniol.

Enghraifft: Ymarfer asesu mewnol ar gyfnod Margaret Thatcher ym myd gwleidyddol Prydain

Wrth ymchwilio i gyfnod Margaret Thatcher fel Prif Weinidog, byddai disgwyl i chi werthuso'r dystiolaeth yn ymwneud â'r materion canolog canlynol:

- Y graddau y mae haneswyr wedi priodoli ei thwf i rym i fethiant llywodraeth Lafur yr 1970au yn hytrach na'r addewidion am newidiadau a gyflwynwyd gan y Ceidwadwyr;
- Y graddau yr oedd y polisïau a gyflwynwyd gan lywodraethau Thatcher i ymdrin â'r economi, y wladwriaeth les a'r undebau llafur yn fath o 'chwyldro' mewn llywodraeth, neu a yw rhai haneswyr wedi gorliwio newidiadau o'r fath;
- Y graddau y newidiodd polisi tramor Prydeinig dan Thatcher, ac a oedd y newid hwn yn fath o 'chwyldro' mewn arddull a chyfeiriad polisi;
- Y ddadl ynghylch pam y collodd Margaret Thatcher yr awennau gwleidyddol yn 1990.

Wrth ystyried cwestiynau mor bwysig, bydd haneswyr wrth natur yn cyflwyno dehongliadau gwahanol, a'ch tasg chi fydd adnabod ac ymchwilio'r safbwyntiau gwhananol hyn a'r rhesymau amdanynt; gwerthuso cryfderau a gwendidau'r ffynonellau yr ydych wedi'u hastudio; egluro sut a pham o bosibl y newidiodd y safbwyntiau hyn dros amser, a dod i farn gadarnhaol ynghylch pa ddehongliad, yn eich barn chi, y mae'r dystiolaeth yr ydych wedi'i hastudio yn ei gefnogi fwyaf.

Cynllun marcio asesiad mewnol generig ar gyfer asesu dealltwriaeth o sut a pham y caiff dehongliadau hanesyddol eu creu

AA2b	Disgrifwyr Lefel Generig
Lefel 1 ↓	• Mae eich ateb yn dangos ychydig iawn o ddealltwriaeth o ddadl neu ddehongliad hanesyddol • Mae eich ateb yn tueddu i gytuno neu anghytuno â'r dehongliad ond prin yw'r gefnogaeth
Lefel 2 ↓	• Mae eich ateb yn dangos peth dealltwriaeth o ystod gyfyngedig o ddadleuon neu ddehongliadau hanesyddol • Mae eich trafodaeth o'r dehongliad yn ddilys, ac rydych yn cyfeirio at ddehongliadau gwahanol, ond nid ydych yn eu gwerthuso na'u hegluro'n ddigonol
Lefel 3 ↓	• Mae eich ateb yn dangos dealltwriaeth dda o natur dadl hanesyddol, gan drafod y dehongliad yng nghyd-destun un neu fwy o ddehongliadau gwahanol • Rydych yn dechrau ystyried y dehongliad yn nhermau datblygiad y ddadl hanesyddol sydd wedi digwydd • Rydych yn gwneud peth ymgais i egluro pam y ffurfiwyd y dehongliadau
Lefel 4	• Mae eich ateb yn dangos dealltwriaeth eglur a chyson o natur dadl hanesyddol a gwerthfawrogiad dda iawn o sut mae eraill wedi dehongli'r gorffennol • Mae'r dehongliadau wedi'u gosod mewn cyd-destun hanesyddiaethol ac rydych yn dangos dealltwriaeth o sut a pham y mae'r materion wedi'u dehongli mewn gwahanol ffyrdd

Crynodeb

Pethau i'w gwneud a'u hosgoi wrth wneud ymarfer asesu mewnol:

PETHAU I'W GWNEUD

- Nodi y gwahanol ddehongliadau sy'n gysylltiedig â'r testun dan sylw a rhoi sylw priodol i bob un o'r safbwyntiau hyn yn eich traethawd;
- Sicrhau eich bod yn ymdrin ag ystod o ffynonellau – safbwyntiau cyfoes, safbwyntiau haneswyr, adroddiadau ysgrifenedig, tystiolaethau llafar, ffynonellau gweledol, ayb, sy'n cefnogi'r gwahanol ddehongliadau sydd i'w trafod;
- Sicrhau eich bod yn gwerthuso pob ffynhonnell yn drylwyr yn nhermau gwerth eu cynnwys a'u tarddiad – pwy ddywedodd hyn, pryd a pham y dywedwyd hyn?
- Sicrhau eich bod yn cysylltu'r dehongliadau â haneswyr allweddol y ddadl honno;
- Sicrhau eich bod yn ystyried sut y cyrhaeddodd hanesydd y safbwynt arbennig hwnnw – y prosesau a ddefnyddiwyd;
- Ystyried ffactorau eraill a allai fod wedi dylanwadu ar yr hanesydd wrth iddo gyrraedd y sabwynt hwnnw, fel ffactorau gwleidyddol, cenedlaetholgar a chrefyddol;
- Sicrhau eich bod yn gwneud cysylltiadau rheolaidd yn ôl at y cwestiwn traethawd;
- Gorffen gyda chasgliad a gwerthusiad cadarnhaol ynghylch dilysrwydd y dehongliad a nodwyd yn y cwestiwn.

PETHAU I'W HOSGOI

- Canolbwyntio ar roi adroddiad naratif drwy adrodd stori'r digwyddiad;
- Canolbwyntio'n ormodol ar un dehongliad ac anwybyddu'r dehongliadau eraill neu roi sylw arwynebol yn unig iddynt;
- Cynnal gwerthusiad arwynebol o'r ffynonellau trwy ganolbwyntio'n llwyr ar werth eu cynnwys ac anwybyddu eu tarddiad;
- Anwybyddu hanesyddiaeth y dehongliad;
- Dilyn trywydd amherthnasol a chynnwys gwybodaeth amherthnasol;
- Ysgrifennu llawer mwy na'r cyfanswm geiriau a ganiateir;
- Methu â dirwyn eich ymchwiliad i ben â chasgliad rhesymegol sy'n cysylltu'n ôl â'r dehongliad a nodwyd yn y cwestiwn.

PENNOD PUMP

PARATOI AR GYFER ARHOLIADAU HANES

Canllawiau dysgu a thechnegau adolygu

1. Dysgu o enghreifftiau'r gorffennol: archwilio'r sylwadau a wnaed gan Brif Arholwyr ar berfformiad ymgeiswyr mewn arholiadau Hanes allanol

Un o'r dulliau gorau o baratoi ar gyfer arholiad allanol yw edrych ar adroddiadau a luniwyd gan Brif Arholwyr ac archwilio'r sylwadau y maent wedi'u gwneud ar waith ymgeiswyr yn y gorffennol. Un nodwedd drawiadol o ymarfer o'r fath yw bod yr un pryderon yn ymddangos flwyddyn ar ôl blwyddyn. Mae ymgeiswyr yn parhau i wneud yr un camgymeriadau sylfaenol; gydag ychydig o feddwl a chynllunio ymlaen llaw, gallent fod wedi osgoi'r rhain. Bydd arholwyr yn aml yn rhoi awgrymiadau yn eu hadroddiad ar sut i ateb mathau arbennig o gwestiynau a chyngor penodol ar sut i wella perfformiad, gan nodi'n glir beth y mae'n rhaid i chi ei wneud i gyrraedd y lefel ymateb uchaf.

Daw'r sylwadau canlynol o Adroddiadau Prif Arholwyr a gyhoeddwyd gan y Cyrff Dyfarnu amrwiol ar berfformiad ymgeiswyr hanes Safon UG ac U yn yr arholiadau bob blwyddyn.

Sylwadau cyffredinol ar berfformiad ymgeiswyr

'Mae'n rhaid i ymgeiswyr baratoi'n well ar gyfer gofynion yr arholiad. Mae angen iddynt fod wedi treulio amser yn edrych ar hen bapurau i werthfawrogi arddull a gofynion ateb mathau arbennig o gwestiynau.' [2003]

'... bydd rhoi sylw pellach i'r meini prawf asesu o fudd i ymgeiswyr sy'n aml yn ymddangos yn wybodus ar y testun ond sydd weithiau yn methu ag ennill y marciau uchaf.' [2005]

'Mae fy nghwyn arferol ynghylch camsillafu enwau hanesyddol amlwg yn dal yn ddilys.' [2006]

'Mae'r nifer fach ond parhaol o sgriptiau sy'n dangos tystiolaeth glir o ddiffyg rheoli amser yn parhau i achosi pryder. Ni ellir pwysleisio'n ddigon aml y sylw y dylai myfyrwyr ei roi i'r dyraniad amser a awgrymir i bob cwestiwn ... mae'n siŵr bod marciau a graddau hefyd yn cael eu colli o ganlyniad i'r broblem hon.' [2008]

I'w drafod:
Beth yw'r prif feysydd sy'n achosi pryder i Brif Arholwyr yn y sylwadau uchod?

Sylwadau ar sgiliau ysgrifennu traethodau

'Roedd nifer o ymgeiswyr yn dangos gwybodaeth a dealltwriaeth resymol, ond roeddynt yn aml yn methu â chyflawni gofynion penodol y cwestiwn ...' [1997]

'... roedd rhai ymgeiswyr yn ysgrifennu'n helaeth ond yn llawer rhy gyffredinol. Ar eu gorau, roedd eu hatebion o'r math naratif diliw; ar eu gwaethaf, sothach amherthnasol. Yn rhy aml o lawer gwelwyd arholwyr yn nodi ar yr ymyl "amherthnasol", "ymadael â'r pwynt", "llawer rhy gyffredinol" neu "nid yw hyn yn ateb y cwestiwn".' [1999]

'Mae ymgeiswyr yn rhy barod i gynnig hanes naratif yn hytrach na chynnig esboniadau, ac mae eu hymatebion yn rhy gyffredinol, naill ai'n amherthnasol i'r cwestiwn a osodwyd, neu'n brin o'r wybodaeth fanwl angenrheidiol i gefnogi ymateb ar agwedd benodol o'r cwrs.' [2002]

'Methodd ymgeiswyr ag ymdrin yn llawn â'r cyfnod yn ei gyfanrwydd, gan felly fethu ag ennill marciau llawn'. [2003]

'Ni allai rhai ymgeiswyr ysgrifennu dau draethawd da. Roedd traethawd cyntaf rhai ohonynt yn dderbyniol, wedi'i ysgrifennu'n dda, ond ni allent gynhyrchu ail draethawd tebyg. Gall diffyg ymarfer ysgrifennu traethodau, diffyg paratoi trylwyr ar gyfer yr arholiad neu broblem rheoli amser fod yn gyfrifol am hyn.' [2004]

'Roedd llawer gormod o ymgeiswyr yn methu â dod i farn glir ar y materion dan sylw ... un camgymeriad cyffredin oedd diystyru'r ffactor allweddol yn y cwestiwn dan sylw, ac yna ysgrifennu ar ystod o ffactorau eraill. Mater arall sy'n achosi'r un pryder yw'r ymgeiswyr hynny sy'n trafod "I ba raddau ..." drwy ystyried y prif ffactor a roddir ac yna mynd ymlaen i restru ffactorau eraill mewn dull mecanyddol ... gan fethu ag asesu pwysigrwydd cymharol pob ffactor a dod i ddyfarniad sydd wedi'i gefnogi'n dda.' [2007]

I'w drafod:

(a) Beth yw prif ffaeleddau ymgeiswyr wrth ysgrifennu traethodau dan amodau arholiad?

(b) Beth yw cryfderau ysgrifennu traethodau da yn ôl sylwadau'r Prif Arholwr?

Sylwadau ar gwestiynau sy'n seiliedig ar ffynonellau

'Mae yna ymgeiswyr sy'n parhau i ganolbwyntio'n ormodol ar y cynnwys yn hytrach nag ar y tarddiad. Caiff marciau eu colli yn yr adrannau cwestiynau seiliedig ar ddogfennau gan ymgeiswyr sy'n methu â derbyn y cyngor "defnyddiwch yn eich ateb wybodaeth gefndirol berthnasol".' [2000]

'Mae nifer o ymgeiswyr canolig yn godro neu ail-lunio cynnwys y ffynonellau i ddarparu ateb. ... Mae ymgeiswyr yn dangos tri phrif wendid. Yn gyntaf, mae rhai'n ansicr ynghylch sut i werthuso ffynonellau ac yn gwneud fawr mwy na chynnig sylwadau ar eu cynnwys; yn ail, wrth asesu gwerth neu ddibynadwyedd ffynhonnell, mae rhai ymgeiswyr yn methu ag ystyried rhagfarnau'r awdur wrth gynnig sylwadau ar unrhyw ogwydd neu anghywirdeb posibl; yn drydydd, mae llawer gormod o ymgeiswyr yn methu â manteisio ar y cyfle i ddefnyddio eu gwybodaeth gefndirol berthnasol eu hunain yn ogystal â gwybodaeth a godir o ffynonellau eraill.' [2004]

'Dylai ymgeiswyr wybod nad yw'n ddigon, wrth drafod y ffynhonnell weledol, i gynnig sylwadau cyffredinol ynghylch problemau cartwnau neu ddarluniadau fel ffynonellau hanesyddol. Yr hyn sydd ei angen yw dadansoddiad manwl o'r cynnwys.' [2007]

I'w drafod:

(a) Beth mae ymgeiswyr yn methu â'i wneud pan fydd gofyn iddynt werthuso ffynonellau hanesyddol dan amodau arholiad?

(b) Pa gyngor ymarferol fyddech chi'n ei roi i ymgeiswyr ynghylch sut i fod yn llwyddiannus wrth ateb cwestiynau sy'n seiliedig ar ffynonellau?

Sylwadau ar gwestiynau dehongliadau hanesyddol

'Mae llawer gormod o ymgeiswyr yn dibynnu ar ymatebion mecanyddol, ac yn waeth fyth, mae nifer sylweddol yn methu ag ystyried y priodoliad o gwbl ... mewn rhai achosion, roedd y sylwadau ar y priodoliad yn adlewyrchu dysgu mecanyddol, mor fformiwläig nes y gallent fod wedi'u cymhwyso i unrhyw hanesydd neu awdur.' [2005]

'Mewn llawer o'r ymatebion i'r cwestiwn hwn, nid oedd yr agweddau hanesyddiaethol yn amlwg ac roedd yr agweddau gwerthuso ffynonellau braidd yn fecanyddol gydag ychydig iawn o ymgais i'w cysylltu â'r cwestiwn penodol a osodwyd.' [2006]

'Mae llawer gormod o ymgeiswyr yn colli marciau trwy fethu ag ystyried dilysrwydd y dehongliad a gyflwynir yn erbyn dehongliadau eraill posibl, neu ystyried y priodoliad trwy drafod y math o hanesydd/awdur a wnaeth y dehongliad, y dulliau ar gael i'r person hwnnw, dyddiad y cyhoeddiad a pha dystiolaeth fyddai ar gael yr adeg honno i wneud y dehongliad.' [2008]

I'w drafod:

(a) Beth mae'r ymgeiswyr yn methu â'i wneud pan fydd gofyn iddynt ateb cwestiynau sy'n ymdrin â gwerthusiad o ddehongliad hanesyddol?

(b) Beth fyddai eich cyngor chi i ymgeisydd sy'n ceisio gwerthuso dilysrwydd dehongliad hanesyddol?

Beth nad yw'r Prif Arholwyr yn hoffi ei weld ar sgriptiau arholiad?

(a) Methu ag ateb y cwestiwn

Yn yr arholiad, nid beth rydych chi'n ei wybod yn unig sy'n bwysig, ond sut rydych chi'n ei ddweud. Mae'n bwysig eich bod yn defnyddio yr hyn a wyddoch i ddadlau achos sy'n ymwneud yn uniongyrchol â'r cwestiwn penodol a ofynnir. Mae arholwyr yn rhy aml yn ysgrifennu '*Nid yw'n ateb y cwestiwn*' ar y sgript.

Gallai fod nifer o resymau pam y byddech o bosibl yn methu ag ateb y cwestiwn yn uniongyrchiol:

- Methu ag ymdrin â'r geiriau gorchmynnol yn y cwestiwn, gan felly beidio ag ateb y cwestiwn sy'n cael ei ofyn;
- Methu ag adnabod ystyr geiriau penodol yn y cwestiwn. Os oes gair/term nad ydych yn sicr o'i ystyr, yna byddai'n well i chi osgoi'r cwestiwn hwnnw;
- Methu â rhoi sylw i unrhyw ddyddiadau a roddir ar gyfer unrhyw gyfnod y gofynnir i chi ei drafod;
- Methu â bod yn ddadansoddol gan ddarparu ateb naratif sy'n anwybyddu'r dadleuon o blaid ac yn erbyn pwynt penodol;
- Gwneud sylwadau gor-gyffredinol a methu â darparu tystiolaeth i gefnogi'r pwyntiau yr ydych yn eu gwneud yn eich traethawd;
- Methu â dirwyn eich traethawd i ben â chasgliad am y cwestiwn sy'n cael ei ofyn lle rydych chi'n darparu dyfarniad rhesymegol.

Mae'r rhain yn bwyntiau digon cyfarwydd gan ein bod wedi ymdrin â hwy yn fanwl ym mhenodau 2 a 3; does dim byd newydd yma. Fodd bynnag, dylech chi fod yn ymwybodol bod atebion arholiad, er yn fyrrach ac yn llai manwl a strwythuredig na thraethodau, yn dal i gael eu hasesu gan ddefnyddio'r un meini prawf.

(b) Methu â bod yn ddetholus

- Ni fydd unrhyw gwestiwn yn gofyn i chi 'ysgrifennu popeth y gwyddoch am ...', ond dyma'n union y mae rhai ymgeiswyr yn ei wneud wrth ateb cwestiwn traethawd;
- Dydy'r arholwr ddim eisiau gwybod os gallwch chi gofio darn o lyfr a'i ailadrodd. Yn hytrach, mae eisiau gweld eich bod yn gallu defnyddio'r wybodaeth yr ydych wedi'i chasglu a dethol darnau priodol ohoni i ateb cwestiwn penodol – mae'n rhaid i'r deunydd yr ydych yn ei gynnwys fod yn berthnasol;
- Methu â defnyddio darnau o ffynhonnell i gefnogi eich ateb, neu gopïo darnau maith heb ddethol eich dyfyniadau yn ofalus;
- Os ydych yn gorlenwi eich ateb â ffeithiau, dyddiadau, enwau a dyfyniadau heb eu gosod yng nghyd-destun dadl a heb eu dethol am eu perthnasedd i'r ddadl honno, yna bydd yr arholwr yn dod i'r casgliad nad ydych yn deall beth y mae'r cwestiwn yn ei ofyn.

(c) Rheoli amser yn wael

Mae'n gyffredin iawn i ymgeiswyr reoli eu hamser yn wael dan amodau arholiad, gan felly:

- Methu â gorffen y traethawd olaf;
- Methu â gorffen, neu yn aml iawn, methu â dechrau'r cwestiwn olaf sy'n seiliedig ar ffynonellau;
- Gorfod defnyddio pwyntiau bwled oherwydd bod amser yn brin.

Cofiwch, mae'n llawer haws casglu marciau ar ben isaf y raddfa yn hytrach na'r pen uchaf, felly mae'n gwneud synnwyr i dreulio amser ar bob cwestiwn mewn cyfrannedd union â'i ddyraniad marciau.

(ch) Cyflwyniad gwael

Mae arholwyr yn aml yn cwyno am atebion sydd:

- Yn ddi-strwythur, heb gyflwyniad na chasgliad;
- Heb eu rhannu yn baragraffau;
- Wedi'u hysgrifennu ar ffurf nodiadau yn hytrach na brawddegau;
- Wedi'u hysgrifennu mewn llawysgrifen annealladwy;
- Yn methu â chyfathrebu'n ysgrifenedig mewn modd cymwys – bydd yr ymgeiswyr yn defnyddio iaith destun a thalfyriadau eraill.

2. Paratoi ar gyfer yr arholiadau Hanes allanol

(a) Adolygu'r cwrs

Mae llawer o fyfyrwyr yn gadael eu hadolygu hyd y funud olaf ac yna'n mynd i banig wrth sylweddoli bod amser yn brin. Gall panig beri i chi feddwl yn llai clir ac mae'n amharu ar eich cof. Mae'n bwysig eich bod yn cynllunio rhaglen adolygu sy'n llenwi'r wythnosau cyn eich arholiad cyntaf.

Beth sy'n rhaid i mi ei wybod?

- Dylech ddechrau trwy wneud rhestr o'r holl gynnwys y mae'n rhaid i chi ei wybod ar gyfer yr arholiad, yna mynd ati i lunio amserlen addas i ateb eich gofynion.

Adolygu gweithgar

- Dylai adolygu fod yn broses weithgar, gyda chi'n gwneud rhywbeth. Dylech osgoi darllen tudalen ar ôl tudalen yn fecanyddol gan feddwl y byddwch yn cofio'r wybodaeth i gyd. Fydd hynny ddim yn digwydd!

Gwneud nodiadau adolygu

- Adolygwch â'ch ysgrifbin yn eich llaw. Pan ydych yn darllen dros eich nodiadau, dylech wneud eich nodiadau adolygu eich hun. Gallai'r rhain gynnwys rhestri cryno neu faterion allweddol, ar ffurf pwyntiau bwled wedi'u rhifo. Mae pwyntiau bwled yn llawer haws eu cofio na pharagraff o ysgrifen parhaus.

Crynhoi

- Drwy orfodi eich ymennydd i benderfynu pa faterion allweddol i'w hysgrifennu, bydd gwell siawns i'r broses o flaenoriaethu a chofnodi aros yn y cof na sganio'n ddigyfeiriad dros eich nodiadau.

Hunan-brofi

- Gwiriwch hynt eich adolygu drwy hunan-brofi. Caiff hyd at 80% o'r deunydd sy'n cael ei gofio o'r newydd ei golli o fewn y pedair awr ar hugain cyntaf. Felly, mae'n bwysig eich bod yn ail-ymweld â'ch nodiadau yn rheolaidd, i atgyfnerthu a sefydlu'r hyn a ddysgir am y pwnc hwnnw.

Hen bapurau arholiad

- Edrychwch dros hen bapurau arholiad. Os oes cwestiynau yn ymddangos ar y papurau hyn na allwch eu hateb, yna nid ydych wedi adolygu yn ddigon trylwyr. Bydd hyn yn eich galluogi i ymgyfarwyddo â'r iaith a ddefnyddir ac mae'n bosibl y byddwch yn gallu gweld patrwm yn y testunau sy'n ymddangos ar y papur.

Adolygu detholus

- A ddylwn i adolygu'r cwrs cyfan? Rhaid i chi fod yn gall a barnu'n ofalus pa mor ddetholus y dylech fod wrth adolygu, gan astudio hen bapurau'n ofalus a gwrando ar gyngor gan eich athro. Cofiwch y dylai fod gennych ail ddewis bob amser rhag ofn na fydd eich testunau dewisol yn ymddangos ar y papur.

Defnyddio'r Rhyngrwyd

- A ddylwn i ddefnyddio'r Rhyngrwyd i adolygu? Mae yna gannoedd o safleoedd Rhyngrwyd y gallwch eu defnyddio i adolygu. Fodd bynnag, peidiwch â gwastraffu amser ar-lein yn ymweld â gwefan ar ôl gwefan, gan adael i hynny dynnu eich sylw. Mae'n hawdd ildio i'r dynfa i wirio e-bost neu weld a oes unrhyw ffrindiau ar MSN – mae hyn yn wastraff amser.

Dwyn i gof

- Ceisiwch ddarganfod dull o gofio eich nodiadau sy'n gweddu orau i'ch arddull dysgu chi. Mae nifer o ymgeiswyr yn gweld bod defnyddio mnemonig yn arbennig o ddefnyddiol. Mae hyn yn golygu cymryd llythyren gyntaf gair allweddol a'i defnyddio i sillafu term neu air arbennig. Dylai pob un o'r geiriau allweddol ysgogi'r manylion cefndirol ar gyfer y pwynt penodol hwnnw.

Enghraifft: bydd rhai myfyrwyr yn defnyddio **TABAD** fel mnemonig i gofio pum prif bwynt Adroddiad Beveridge, 1942.

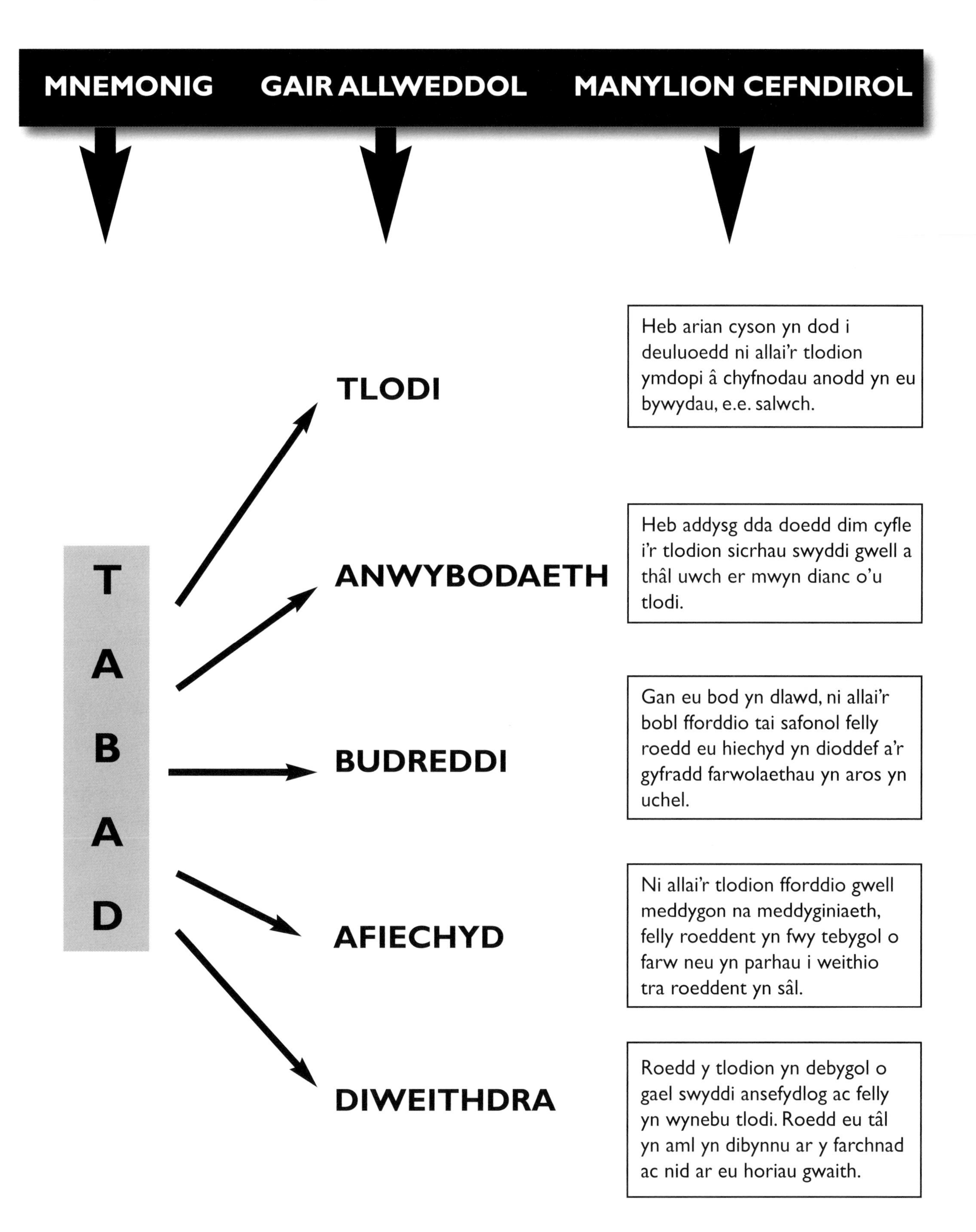

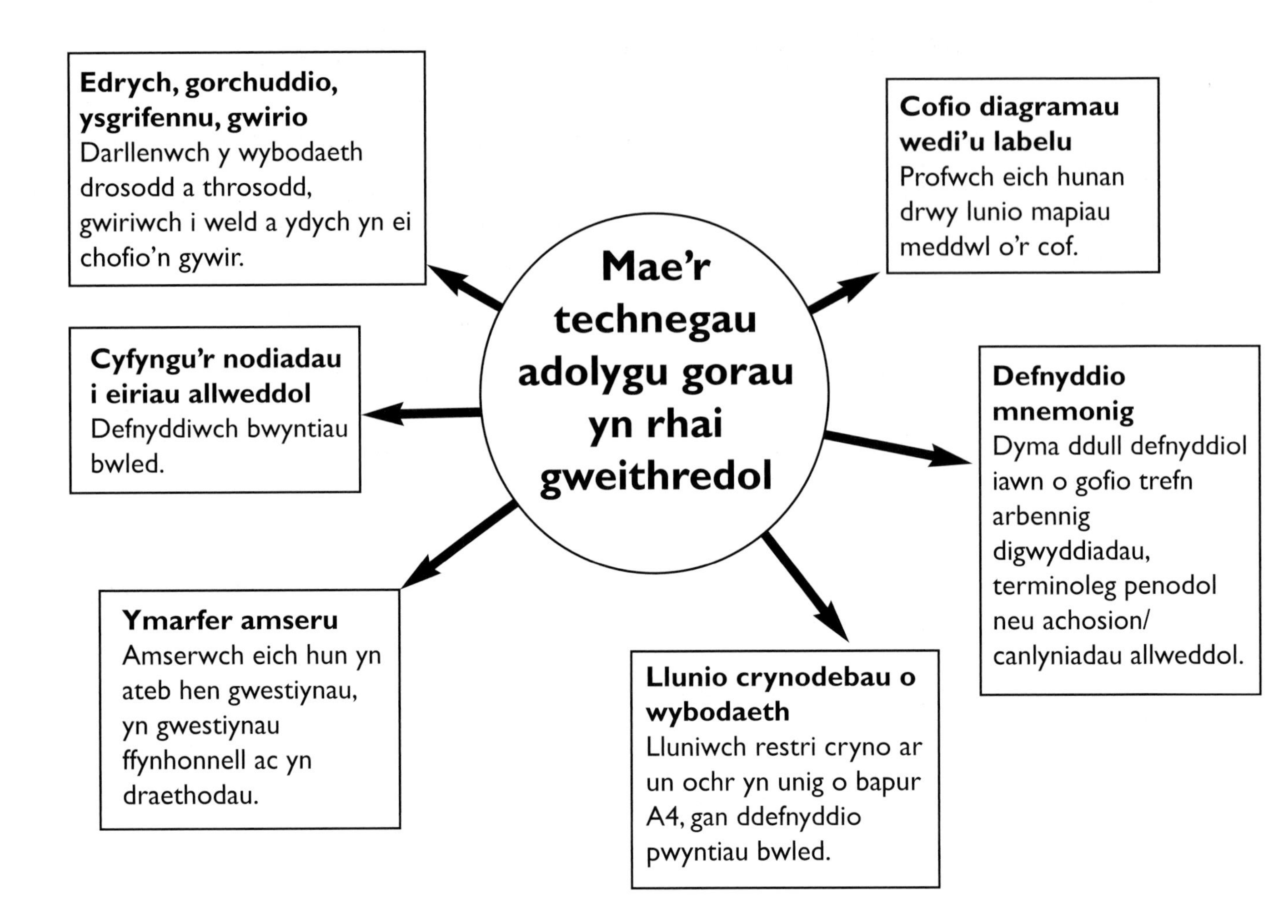

Cofiwch adael amser i ymlacio rhwng sesiynau adolygu.

Cynigiwch wobrau i chi eich hun os ydych yn cwblhau adran yn dda.

Dyfeisio rhaglen adolygu strwythuredig	
Ychydig o fisoedd o flaen llaw	Rhowch drefn ar eich nodiadau – sicrhewch eu bod yn gyflawn. Llenwch unrhyw fylchau trwy ofyn i ffrind neu athro am y nodiadau.
4-6 wythnos o flaen llaw	Gwnewch grynodebau o'ch nodiadau. Rhestrwch y wybodaeth allweddol ar un ochr taflen A4. Defnyddiwch ddiagramau a mnemonigau i helpu'r cof.
1-2 wythnos o flaen llaw	Profwch eich hun i weld a allwch chi gofio beth sydd ar eich taflenni nodiadau cryno. Amserwch eich hun yn ateb rhai hen gwestiynau. Ewch dros yr un wybodaeth bob ychydig o ddyddiau i atgyfnerthu'r cof, gan brofi eich hun yn gyson.
1-2 ddiwrnod o flaen llaw	Defnyddiwch gardiau fflach. Sicrhewch eich bod yn neilltuo amser i ymlacio, a pheidiwch â chynhyrfu. Ar ôl rhaglen adolygu strwythuredig o'r fath, dylech deimlo'n hyderus eich bod yn gwybod y gwaith a'ch bod wedi paratoi'n drylwyr cyn mynd i'r ystafell arholiad. Ceisiwch fwynhau'r arholiad – mae'n gyfle i arddangos eich gwybodaeth a'ch dealltwriaeth drwy ysgrifennu'r wybodaeth y gofynnir amdani yn y drefn briodol.

Patrymlun ar gyfer eich amserlen adolygu:

Wythnos	Prif destun	Testunau unigol i'w hadolygu
1		
2		
3		
4		
5		
6		
7		
8		
Arholiad		

Canllawiau Adolygu

Dechreuwch yn gynnar.

↓

Drafftiwch amserlen i fapio pa destun y byddwch yn ei astudio bob dydd.

↓

Byddwch yn realistig wrth gynllunio beth i'w wneud bob dydd – peidiwch â cheisio gwneud gormod.

↓

Dewiswch le addas i adolygu.

↓

Byddwch yn weithgar wrth adolygu – peidiwch ag eistedd ar y gwely a darllen eich nodiadau yn unig.

↓

Gwnewch grynodebau o'ch nodiadau, gan roi penawdau i bob testun a defnyddio pwyntiau bwled.

↓

Treuliwch fwy o amser ar adrannau'r cwrs sy'n fwy heriol a'r rhai nad ydych mor hyderus ynddynt.

↓

Profwch eich hun – amserwch eich hun yn ateb cwestiynau o hen bapurau.

(b) Cymell eich hun yn ystod y cyfnod adolygu olaf

Yn y dyddiau yn union cyn eich arholiad cyntaf, dylech fod yn cyrraedd penllanw eich paratoadau. Ceisiwch ymlacio a chael digon o gwsg. Mae'r gwaith caled drosodd a dylech fod yn gyfarwydd iawn â'r cynnwys erbyn hyn. Ewch dros eich nodiadau cryno, gan ymarfer llunio atebion i gwestiynau ac amseru eich hun.

(c) Meistroli'r arholiad ei hun

Ar ôl cyrraedd yr ystafell arholiad a derbyn y papur cwestiwn, dylech chi:

Dreulio rhai munudau yn edrych dros y papur:

AWGRYM
Beth mae'r cwestiwn yn gofyn i chi ei wneud?

Gwnewch gynllun syml.

Rhannwch eich amser yn ôl dyraniad y marciau.

- Mae'n rhaid i chi ddarllen y cyfarwyddiadau yn ofalus, gan roi sylw i nifer y cwestiynau y mae'n rhaid i chi eu hateb ymhob adran o'r papur;
- Rhannwch eich amser yn ôl dyraniad y marciau – gall fod yn ddefnyddiol i chi ysgrifennu'r amserau i bob cwestiwn ar y papur arholiad ei hun;
- Ar ôl i chi ddewis y cwestiwn yr ydych yn bwriadu ei ateb, treuliwch ychydig o amser yn casglu syniadau. Os yw'n gwestiwn traethawd, cylchwch neu amlygwch y geiriau gorchmynnol, ysgrifennwch rai pwyntiau bwled yn ymwneud â'r cynnwys, yna rhifwch y pwyntiau bwled i flaenoriaethu'r drefn y byddwch yn eu trafod. Os yw'n gwestiwn dogfen, tanlinellwch adrannau pwysicaf y dyfyniad wrth i chi ei ddarllen, talwch sylw arbennig i'r priodoliad, cylchwch neu amlygwch y wybodaeth allweddol megis awdur, teitl y llyfr, blwyddyn cyhoeddi ac unrhyw wybodaeth berthnasol a roddir am gyd-destun.

Sicrhewch eich bod yn ateb y cwestiwn a osodwyd:

- Peidiwch â chrwydro ar hyd trywydd arall, wrth geisio dangos i'r arholwr gymaint rydych yn ei wybod. Os nad yw'r wybodaeth yn berthnasol i'r cwestiwn, ni fydd yn ennill marciau i chi, a byddwch wedi gwastraffu amser gwerthfawr;
- Gwiriwch fod yr hyn yr ydych wedi'i ysgrifennu yn ateb y cwestiwn dan sylw trwy gyfeirio at y cwestiwn yn rheolaidd.

Atebwch y cwestiwn yn llawn:

- Sicrhewch eich bod yn ateb pob rhan o'r cwestiwn; eich bod wedi ymdrin â'r cyfnod cyfan a nodir yn y cwestiwn; eich bod wedi treulio digon o amser ar bob is-gwestiwn yn ôl ei ddyraniad marciau; cofiwch ddilyn y strwythur yr ydych wedi'i ddysgu – mae ar draethawd angen cyflwyniad sy'n amlinellu eich dehongliad o'r cwestiwn, trafodaeth wybodus a chasgliad rhesymegol lle byddwch yn dod i farn sy'n berthnasol i brif fater y cwestiwn.

Byddwch yn eglur a dealladwy:

- Esboniwch eich syniadau yn eglur ac mewn modd rhesymegol;
- Cofiwch fod yn rhaid i'r arholwr allu darllen eich llawysgrifen;
- Caiff marciau eu dyfarnu am ansawdd eich cyfathrebu ysgrifenedig. Dylech ateb mewn brawddegau llawn gan osgoi unrhyw dalfyriadau neu iaith destun. Dylid sillafu enwau personau, lleoedd a digwyddiadau hanesyddol allweddol yn gywir.

Rhannwch eich amser yn ddoeth:

- Dyrannwch amser i bob cwestiwn yn ôl canran y cyfanswm marciau. Peidiwch â mynd y tu hwnt i'r amser yr ydych wedi'i neilltuo i bob cwestiwn gan y bydd hynny'n amharu'n ddifrifol ar eich gobaith o ennill marciau uchel yn y cwestiynau sy'n weddill;
- Cofiwch nad oes raid i chi ateb y cwestiynau yn y drefn y maent yn ymddangos ar y papur. Gallwch ddechrau â chwestiwn 4, er enghraifft, os mai dyna yw'r testun yr ydych fwyaf hyderus ynddo, ac yna gallwch fynd yn ôl at gwestiwn blaenorol;
- Peidiwch â chynhyrfu. Ysgrifennwch yn gryno y pwyntiau a ddaw i'ch meddwl yn gyntaf, rhowch nhw mewn trefn addas ac yna ewch ymlaen i ateb y cwestiwn. Peidiwch â dychryn os yw'r cwestiwn wedi'i eirio mewn modd sy'n anghyfarwydd;
- Treuliwch ychydig o funudau ar y diwedd yn bwrw golwg dros eich atebion, gan edrych am wallau gramadeg ac atalnodi, ac unrhyw wallau sillafu amlwg.

Gwendidau cyffredin wrth ysgrifennu dan amodau arholiad

- Methu â diffinio neu egluro termau allweddol;
- Methu â chefnogi eich dadleuon â thystiolaeth hanesyddol benodol;
- Defnyddio gwybodaeth hanesyddol ond methu pwynt y cwestiwn;
- Methu â dod i gasgliadau lle bo hynny'n berthnasol;
- Camddefnyddio'r amser – methu â gorffen y papur.

AWGRYMIADAU AR GYFER YR ARHOLIAD

Cyrhaeddwch mewn da bryd.

↓

Byddwch yn bositif – peidiwch â chynhyrfu a chofiwch anadlu'n ddwfn.

↓

Darllenwch drwy'r papur cyn i chi ddechrau ysgrifennu, gan roi sylw arbennig i nifer y cwestiynau y disgwylir i chi eu hateb.

↓

Byddwch yn ddoeth wrth ddewis pa gwestiynau i'w hateb, gan sicrhau eich bod yn gallu ateb yr holl is-gwestiynau perthnasol.

↓

Rhannwch eich amser yn ôl y marciau a roddir i bob is-gwestiwn – peidiwch â mynd dros yr amser hwn.

↓

Cwblhewch y nifer cywir o gwestiynau.

↓

Cofiwch ddefnyddio'r holl dechnegau priodol wrth ateb mathau arbennig o gwestiynau – gwerthuso ffynonellau ac ymdrin â'r priodoliad, ateb traethodau pen-agored neu strwythuredig, ymdrin â dehongliadau hanesyddol.

↓

Peidiwch â chrwydro a chofiwch ateb y cwestiynau yn llawn.

↓

Treuliwch ychydig o amser yn darllen dros eich atebion ar y diwedd, gan wneud unrhyw gywiriadau neu ychwanegiadau angenrheidiol.

↓

Ceisiwch roi o'ch gorau drwy gydol yr arholiad.

(ch) Ar ôl yr arholiad

Yn aml iawn, bydd ymgeiswyr ar ôl yr arholiad yn gofidio'n ormodol ynghylch beth wnaethon nhw ysgrifennu neu fethu â'i ysgrifennu. Mae yna dueddiad i chi ganolbwyntio ar yr agweddau negyddol – efallai eich bod wedi hepgor rhyw ffaith, neu eich bod wedi methu â gwneud cysylltiad rhwng dau ffactor. Nid oes unrhyw ddiben cynnal post-mortem o'r fath; yn wir, gallai fod yn niweidiol. Os ydych wedi gwneud camgymeriad amlwg, mae'n well cydnabod hynny a phenderfynu peidio a'i ail-adrodd yn eich arholiad nesaf. Unwaith mae'r arholiad drosodd, mae'n rhaid i chi anghofio amdano a chanolbwyntio ar baratoi ar gyfer yr un nesaf.

A fyddwch chi'n barod am eich arholiad Hanes terfynol?

Astudiaethau achos o ymgeiswyr sy'n sefyll arholiadau Hanes UG/U

Nid yw Jac wedi cymryd ei lwyth gwaith o ddifrif

- Mae'r arholiadau yn cychwyn ymhen rhai dyddiau a phrin bod Jac wedi dechrau adolygu;
- Mae bylchau yn ei nodiadau dosbarth ond nid yw wedi ceisio copïo i fyny'r hyn sydd ar goll ac felly mae ei wybodaeth yn anghyflawn a phytiog;
- Cyfyng yw ei wybodaeth o rai testunau, ac mae e wedi cadw ei ddewis o destunau traethawd i'r lleiafswm posibl. Mae'n gobeithio y bydd y cwestiynau hyn ar y papur;
- Mae e wedi sefyll ffug bapur ond nid yw wedi ei ddefnyddio i fyfyrfio ar yr hyn a aeth yn dda ac ar ei wendidau;
- Mae e wedi gwneud rhai hen gwestiynau ond nid yw wedi ceisio o ddifrif rhagweld beth allai ymddangos ar y papur, ac mae'n adolygu'r ychydig destunau y mae'n eu mwynhau yn unig;
- Nid yw'n rheoli ei amser yn dda yn yr arholiadau, ac yn y gorffennol mae e wedi methu â chyrraedd rhai cwestiynau i'w hateb;
- Mae e wedi hepgor rhai rhannau o gwestiynau yn y gorffennol.

I'w drafod:
Pa gyngor fyddech chi'n ei roi i Jac i sicrhau ei fod yn gwneud yn well yn arholiadau'r dyfodol?

Mae Charlotte wedi paratoi'n drylwyr ac mae'n teimlo'n hyderus

- Mae Charlotte wedi bod yn adolygu'n systematig dros gyfnod hir ac mae nawr mewn safle lle y gall ymlacio rhyw ychydig yn y cyfnod cyn ei harholiad cyntaf;
- Mae ganddi set o nodiadau dosbarth cynhwysfawr iawn ynghyd â nodiadau ychwanegol a luniodd yn ystod y flwyddyn a gall eu defnyddio i lunio ei nodiadau adolygu;
- Mae hi wedi gosod amserlen adolygu realistig iawn, ac wedi llwyddo i gadw ati;
- Mae hi wedi amseri ei hun yn sefyll nifer o ffug bapurau arholiad ac mae'n ymwybodol o'r hyn y mae'n rhaid ei wneud a faint o amser i dreulio ar hynny;
- Mae hi wedi mynd dros ei nodiadau dosbarth yn ogystal â thraethodau a ysgrifennodd yn y gorffennol, gan ystyried sylwadau ei hathro; mae hi hefyd wedi ceisio rhagweld beth fydd y cwestiynau arholiad;
- Mae hi wedi ymarfer pob math o gwestiynau traethawd;
- Mae'n rhannu ei hamser yn ofalus yn yr arholiad yn ôl canran y marciau a ddyrennir i bob cwestiwn;
- Mae'n darllen y cwestiwn yn ofalus, yn anodi'r ffynonellau, yn sgriblo nodiadau cryno i'w helpu i ddrafftio cynllun ac mae'n ticio'r pwyntiau hyn wrth iddi eu crybwyll yn ei hateb;
- Mae'n gwirio'n rheolaidd bod yr hyn a ysgrifenna yn ateb y cwestiwn;
- Mae'n ceisio ateb y nifer cywir o gwestiynau;
- Mae'n sicrhau bob amser bod ganddi amser ar y diwedd i wirio ei hatebion.

I'w drafod:
I ba raddau y mae eich ethos gweithio a'ch rhaglen adolygu yn adlewyrchu un Charlotte?

Mae Elin yn ddihyder ac yn panicio yn rhwydd

- Mae gan Elin set dda o nodiadau dosbarth ac mae hi wedi dilyn cyngor ei hathro wrth ddarllen yn eang;
- Pan fydd hi'n eistedd i lawr a cheisio dechrau'r broses adolygu, mae ei stumog yn corddi ac mae'n dechrau dychryn; rhaid iddi wedyn adael y gwaith;
- Mae hi wedi drafftio amserlen adolygu, ond mae'n ei chael yn anodd cadw ati;
- Mae llawer o'i hadolygu yn ei gweld yn darllen ac ail-ddarllen ei nodiadau dosbarth yn unig; o ganlyniad, tuedda i fethu â chanolbwyntio;
- Mae hi wedi ateb rhai hen gwestiynau, ond ni lwyddodd i sefyll ond un o'r ddau ffug bapur;
- Nid yw'n llwyddiannus iawn wrth geisio rhagweld cwestiynau, a bydd yn ceisio dysgu popeth;
- Yn y gorffennol, nid yw wedi gallu gorffen yr arholiadau gan ei bod yn brin o amser i gwblhau adran olaf y papur;
- Mae tueddiad ganddi i fynd i'r gwellt yn y cyfnod cyn yr arholiad ac mae'n cynhyrfu'n lân cyn yr arholiad ei hun;
- Mae ei hathro'n credu bod ganddi'r gallu i ennill gradd uchel, ond gan ei bod yn teimlo'n ansicr ac allan o reolaeth, nid yw'n debygol o roi o'i gorau.

I'w drafod:
Pa gyngor fyddech chi'n ei roi i Elin hanner ffordd drwy Flwyddyn 13 i sicrhau ei bod yn osgoi'r trafferthion a restrwyd yn ei phroffil uchod?

Mae'r tair astudiaeth achos uchod yn dangos ystod o ymgeiswyr a fydd yn sefyll eu harholiadau hanes terfynol. Bydd rhai yn teimlo'n hyderus wrth fynd i'r ystafell arholiad, gan wybod eu bod wedi paratoi'n drylwyr dros gyfnod maith. Bydd eraill yn credu bod eu hymdrech funud olaf i ddysgu eu nodiadau yn ddigon i lwyddo yn yr arholiadau ac ennill gradd resymol. Bydd diffyg hyder yn effeithio ar nifer fach wrth iddynt fynd i'r ystafell arholiad ar bigau'r drain. Mae'n bosibl bod y rhain yn ymgeiswyr galluog iawn ond bydd eu hagweddau negyddol wedi effeithio ar eu rhaglen adolygu.

Yr hyn sydd ei angen yw cydbwysedd rhwng rhaglen adolygu drylwyr ac effeithlon, yn gymysg ag amser ymlacio rheolaidd ac adeiladol, a fydd yn annog y meddylfryd cywir i gynorthwyo dysgu. **Mae lles emosiynol yr un mor bwysig â lles corfforol** ond mae ymgeiswyr yn aml yn anwybyddu hynny. Ni fyddwch yn gallu dysgu eich gwaith os yw eich ymennydd mewn panig. Mae'n rhaid i chi sicrhau eich bod wedi ymlacio gan ganfod lle ac awyrgylch addas sy'n gweddu i'ch arddull dysgu personol chi. Gallai hynny olygu chwarae cerddoriaeth yn y cefndir neu weithio mewn distawrwydd llwyr. Sicrhau y cydbwysedd cywir rhwng gwaith a chwarae yw'r allwedd i lwyddo.

PA UN YDYCH CHI?

I'w drafod:

(a) Ar ôl darllen y tair astudiaeth achos, pa un sy'n cyfateb orau i'ch statws chi ar hyn o bryd yn nhermau ethos gweithio a lles emosiynol?

(b) Beth sy'n rhaid i chi ei wneud i sicrhau eich bod wedi paratoi'n ddigonol ar gyfer yr arholiadau terfynol?

Ymestyn eich astudiaeth – anelu at radd A*

Yr ymgeiswyr sy'n cyflawni orau ar Safon U yw'r rhai sydd wedi meistroli eu testunau dewisol. Mae ganddynt wybodaeth a dealltwriaeth ddofn sy'n eu galluogi i osod digwyddiadau mewn cyd-destun hanesyddol ehangach, gwneud cymariaethau ac adnabod nodweddion tebyg a gwahanol, adnabod cyfnodau o newid a pharhad a darparu ystod o resymau i egluro ffactorau o'r fath, a chyfleu eu syniadau mewn modd eglur, trefnus a soffistigedig.

Mae rhai ymgeiswyr yn aml yn teimlo'r angen i ddarllen yn fwy ymestynnol ac o bosibl y tu hwnt i'r meysydd y maent yn eu hastudio. Yn wir, dyma un o brif nodweddion ymgeisydd A*, sef parodrwydd i gyflawni ymchwil pellach, annibynnol sy'n mynd y tu hwnt i gwmpas yr hyn a drafodir yn yr ystafell ddosbarth.

Mae darllen cyfnodolion a chylchgronau hanes yn ddull da o wella eich sgiliau yn y pwnc hwn gan eu bod yn cynnig:

- Ystod o erthyglau awdurdodol ar destunau hanesyddol amrywiol o bob cyfnod amser;
- Cyngor defnyddiol ar sgiliau a dulliau hanesyddol;
- Yr ymchwil diweddaraf ar faterion llosg;
- Erthyglau sy'n ymdrin â hanesyddiaeth;
- Adolygiadau o lyfrau;
- Adolygiadau o wefannau.

Enghreifftiau o gylchgronau hanesyddol:

History Magazine [BBC publishing]
History Today [Historical Association]
Modern History Review [Philip Allan Updates]
Y Cylchgrawn Hanes [CAA]
Y Cylchgrawn Hanes ar-lein [CAA/CGaD]

I fyfyrwyr uchelgeisiol sydd am ystyried ochr ddamcaniaethol hanes, gallent ddarllen gweithiau fel:
What is History? gan E. H. Carr
The practice of History gan G. R. Elton
The pursuit of History gan John Tosh

Mae'r gweithiau hyn yn ystyried y cwestiynau ehangach y soniwyd yn fyr amdanynt yn y llyfr hwn. Maent yn ystyried sut y mae'r hanesydd yn gweithredu ac yn ymchwilio i'r gorffennol, maent yn archwilio'r mathau o dystiolaeth sydd ar gael i'r hanesydd ac yn ystyried sut i ymdrin â deunydd ffynhonnell. Maent hefyd yn ymchwilio'r broses o ddehongliad hanesyddol a phwysigrwydd hanesyddiaeth. Y sgiliau hyn fydd yn sylfaen i chi wrth i chi astudio hanes yn y brifysgol.

Beth ydych chi wedi'i ddysgu o'r arweinlyfr hwn?

Nod yr arweinlyfr hwn yw rhoi cyngor ymarferol i chi, y myfyriwr Hanes UG/U, ar sut i wneud yn fawr o'ch cwrs hanes a sut orau i baratoi ar gyfer yr arholiadau. Drwy'r llyfr rhoddwyd cyngor penodol i chi ar:

- Sut y mae'r hanesydd yn mynd ati i ymchwilio i'r gorffennol ac ar y dulliau ymchwil i'w mabwysiadu;
- Sut i strwythuro ac ysgrifennu traethodau hanes;
- Sut i ymdrin â dadansoddi ffynonellau a chwestiynau gwerthuso;
- Sut i ymdrin yn effeithiol a phwrpasol â dehongliadau hanesyddol;
- Sut orau i baratoi ar gyfer yr arholiadau, boed hynny ar ddiwedd Blwyddyn 12 neu Flwyddyn 13.

Eich tasg chi nawr yw myfyrio ar yr awgrymiadau a'r cyngor a roddwyd yn y meysydd testun hyn. Gallwch fabwysiadu'r rhai sy'n gweddu i'ch arddull dysgu penodol chi ac arbrofi gydag eraill. I gael y gorau o'r llyfr hwn, peidiwch â'i ddarllen unwaith yn unig ac yna ei roi o'r neilltu. Yn hytrach, dylech bori drwyddo bob hyn a hyn a chanolbwyntio ar y meysydd yr ydych yn gweithio arnynt ar y pryd, boed yn ysgrifennu traethodau neu ymdrin â dehongliad hanesyddol. Fe'i bwriadwyd i fod yn ddogfen weithio a fydd yn gydymaith ar eich taith drwy'r cwrs UG/U.